数の世界

自然数から実数、複素数、そして四元数へ

松岡　学　著

ブルーバックス

●カバー装幀／芦澤泰偉・児崎雅淑
●カバーイラスト／ iStock
●本文デザイン／齋藤ひさの
●本文図版／さくら工芸社

はじめに

本書は、身近な自然数からあまりなじみのない四元数、そして最終的には八元数まで、次々と数の世界が拡張していく様子を、数学的に眺めることを目的としています。

私たちの身の回りにある数は、自然数や整数、有理数・無理数といった「実数」が中心です。いわゆる「目に見える数」です。そのせいか、実数は私たちの感覚になじみやすく、私たちは「実数だけで世界が構築されているのではないか」と思いがちです。

実は、数学の世界もそうでした。目に見えない「虚数」という数が受け入れられるまで、200年以上かかりました。長い年月はかかりましたが、虚数が認められて複素数が整備されてみると、数学の理論が壮麗に発展して、今では、「複素数は本質的な数である」と考えられています。

複素数が整備されたことで、数の世界の広がりが終わったかというと、そうではありません。1843年、アイルランドの数学者ハミルトンが、歴史的な発見をします。複素数を超える「四元数」を見出したのです。

しかしながら、四元数は複素数と比べると、現在でもまだ広く知られているわけではありません。それは、決定的な応用が少なかったという理論的な理由だけでなく、四元数が感覚的になじみにくいという心理的な理由もあると思われます。それは、かつて虚数が奇妙に見えて、なかなか普及しなかった事情と似ているのかもしれません。

ところが、近年、四元数がコンピュータ・グラフィックスの分野で使われるようになり、少しずつ一般社会に浸透してきました。四元数を用いることで、空間の回転を効率的に記述することができるからです。そのようなことから本書では、四元数を用いた空間の回転について、丁寧に説明をしました。四元数の数学的な特性やその有用性について理解していただくことも、本書の大きなテーマの１つとなっています。

さらに、数の世界の拡張は「八元数」へと続きます。八元数になると扱う文字の数も増え計算もやや複雑になるため、四元数以上に感覚的になじまず、まだまだ知られていません。ただ、四則演算などの代数的な観点から考えると、「八元数が『数』としての最終形」だといえるのです。そして、数といえるかどうかは分かりませんが、ある意味で八元数を超えると考えられる数も現代では研究されています。それを最後の章で説明しました。

上で述べたように八元数は数の拡張の最終形ですが、応用が少なく、ほとんど浸透していませんでした。ところが、近年、この八元数が物理学の分野から注目されるようになってきました。物理学の最先端理論である超弦理論やM理論で八元数が使われているからです。

数の拡張の最終形である八元数と、物理学における究極の理論といわれている超弦理論やM理論が結びついたというのは、注目すべき事実だと思います。八元数の秘めた可能性を感じます。

読者の方々には、本書を通して、ダイナミックに数の世界が広がっていき、それが緻密な数学に基づいている醍醐味を、存分に味わっていただきたいと思います。

数の世界の冒険マップ

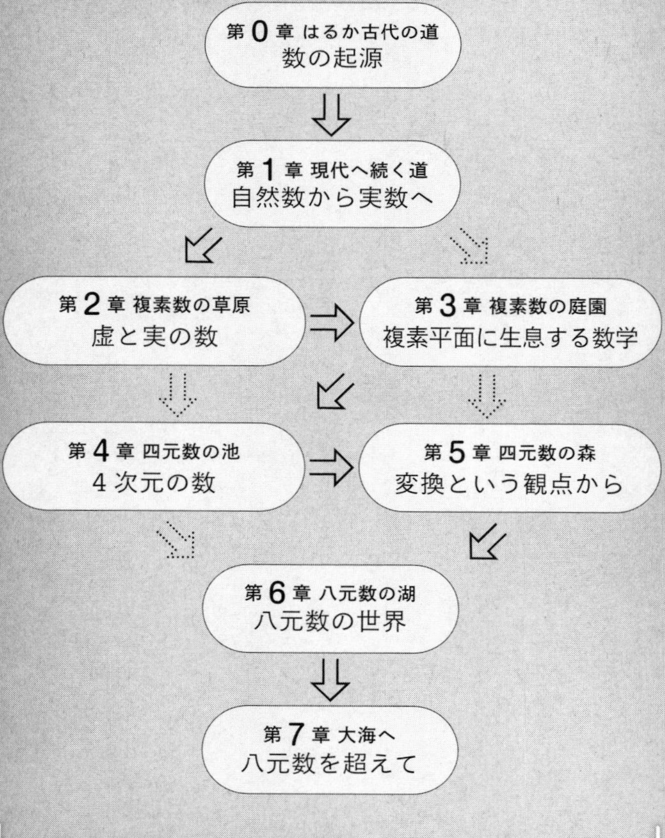

第0章 はるか古代の道
数の起源

⇓

第1章 現代へ続く道
自然数から実数へ

第2章 複素数の草原
虚と実の数

第3章 複素数の庭園
複素平面に生息する数学

第4章 四元数の池
4次元の数

第5章 四元数の森
変換という観点から

第6章 八元数の湖
八元数の世界

⇓

第7章 大海へ
八元数を超えて

冒険へ旅立つ前の覚書き

はるか彼方、古代メソポタミア文明やエジプト文明の頃から、数は存在した。その様子は**第0章 はるか古代の道**。

「数」を現代的な立場で眺めた自然数から実数への整備された道については**第1章 現代へ続く道**。

虚数は目に見えない数。それゆえに、実数から複素数への拡張は大きな転換であった。複素数への拡張は**第2章 複素数の草原**、**第3章 複素数の庭園**。

複素数を超える数はないのだろうか。そんな問いかけに対して、ハミルトンはブルーム橋で、天からの啓示を受けた。四元数の世界は**第4章 四元数の池**、**第5章 四元数の森**。

さらに八元数まで拡張することで、「究極の数」の姿が見えてきた。八元数の世界は**第6章 八元数の湖**。

「八元数を超える数は存在するのだろうか」、そんな問いかけを秘めて、広い湖から大海への旅立ち。いよいよ冒険は最終ステージにやってきた。**第7章 大海へ**。

数 の 世 界

◉

目 次

数の集合

$\boldsymbol{N}$：自然数の全体からなる集合

$\boldsymbol{Z}$：整数の全体からなる集合

$\boldsymbol{Q}$：有理数の全体からなる集合

$\boldsymbol{R}$：実数の全体からなる集合

$\boldsymbol{C}$：複素数の全体からなる集合

$\boldsymbol{H}$：四元数の全体からなる集合

$\boldsymbol{O}$：八元数の全体からなる集合

ギリシャ文字の読み方

大文字	小文字	読み方	大文字	小文字	読み方
A	α	アルファ	N	ν	ニュー
B	β	ベータ	Ξ	ξ	クサイ、クシー
Γ	γ	ガンマ	O	o	オミクロン
Δ	δ	デルタ	Π	π	パイ
E	ε	イプシロン	P	ρ	ロー
Z	ζ	ゼータ	Σ	σ	シグマ
H	η	イータ	T	τ	タウ
Θ	θ	シータ	Υ	υ	ユプシロン
I	ι	イオタ	Φ	ϕ	ファイ
K	κ	カッパ	X	χ	カイ
Λ	λ	ラムダ	Ψ	ψ	プサイ、プシー
M	μ	ミュー	Ω	ω	オメガ

π ：円周率　　e：ネイピア数　　$\sqrt{2}$ ：ルート２

第0章
はるか古代の道
～数の起源～

1. 古代の数
～メソポタミア、エジプト～

すべては古代メソポタミアから始まった

はるか昔、

羊が１匹、２匹、３匹、……

と数える代わりに、小石を置くことで羊の数を把握したといわれています。1, 2, 3, …という数を現代では自然数といいます。

数はいつからあるのだろう？

そんな素朴な疑問を感じたことはないでしょうか。人類の歴史で、記録が残っている最古の文明は、古代メソポタミアだといわれています。

今から約5000年前、人類最古の文明といわれている古代メソポタミアのシュメール人は、算術を知っていました。畑の面積や大麦の種をはかることができ、貝のコンパスや目盛りのついた定規などの計測器も用いていました。

はっきりした起源は定かではありませんが、約4000年前から、60進法を使っていたことが確認されています。60進法と

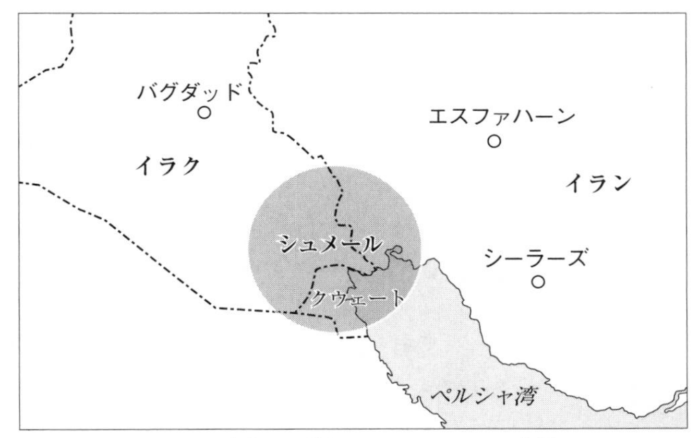

図0-1　古代メソポタミアのシュメールの位置

いうと想像しにくいかもしれませんが、

　１時間は60分。
　１分は60秒。

など、意外と身近なところに、メソポタミアの名残があります。

　私たちは10進法に慣れていますが、10進法と60進法はどちらが便利でしょうか。普通に考えたら10進法の方が扱いやすいと思われるかもしれません。

　しかし果たしてそうでしょうか。10個のものを３人や４人で分けるとき、余りが出るのでうまく分けられません。しかし、60個のものを３人や４人で分けたいときは、余りが出ずに割り切れます。

　これを数学的に表現すると、10は約数が1，2，5，10の４つ

ですが、60の約数は

1, 2, 3, 4, 5, 6, 10, 12, 15, 20, 30, 60

の12個あるということです。ここで注目すべきなのは、60は１から６までをすべて約数に持つということです。

10と比べると60は大きいので、約数が多いのは当然だと思われるかもしれません。それでは、60の約数で10に近い数として、12の約数を考えてみましょう。12の約数は1, 2, 3, 4, 6, 12と６個あります。ですから、10個のものを分けるより、12個のものを分ける方が余りが出にくいことが分かります。今でも、１ダースといえば12個を指します。

現代人は10進法に慣れすぎているため10は便利なイメージがありますが、数学的には60やその約数である12の方が扱いやすいのです。シュメール人はこのことに気づいていたのです。

シュメール人は１年を

30日×12＝360日

と定めました。月の満ち欠けが約29日半であることから、１年を30日周期で区切ることが有効であったと考えられます。

彼らは１日を12分割して時間を定めました。それがやがて24分割となり、現代の１日24時間につながります。

数学ではどうでしょうか？

シュメール人は円の角度を360度と定めました。また、$\sqrt{2}$を高い精度で計算していました。彼らの用いていた$\sqrt{2}$は、

1	11	21	31	41	51
2	12	22	32	42	52
3	13	23	33	43	53
4	14	24	34	44	54
5	15	25	35	45	55
6	16	26	36	46	56
7	17	27	37	47	57
8	18	28	38	48	58
9	19	29	39	49	59
10	20	30	40	50	

図0-2　古代メソポタミアで使われていた60進法

図0-3

1.41421296…です。正確な値

1.41421356…

と比べると、小数第５位まで正しい値となっています。

また、正六角形の周と円周を比べ、円周率の近似値として、3.142857が使われていたと考えられています。こちらも正確な値は、

3.14159265…

ですから、小数第２位まで正しい値となっています。人類最古の文明において、$\sqrt{2}$や円周率がかなり精密な近似で使われていたことには驚きです。

シュメール人は星座の原型を作ったともいわれています。

以下は、彼らの伝承です。

恒星全体は「天の羊の群れ」
太陽は「老いた羊」
惑星は「老いた羊の星」
星には皆羊飼いがいる。
ジブジアナという明るい星は「天の羊の群れの羊飼い」

彼らは星空を眺め、何を思っていたのでしょうか。

古代エジプト文明はナイル川から

古代メソポタミアとほぼ同じ時代、ナイル川流域において古代エジプト文明が栄えました。古代歴史家のヘロドトスの言葉

「エジプトはナイルの賜物（たまもの）」

があるように、ナイル川の定期的な氾濫によって、肥沃な土壌が生み出され、古代エジプト文明が形成されました。

古代エジプトでは毎年起こるナイル川の増水を正確に予測する必要がありました。そこでナイル川の増水とシリウス星の周期を観察し、１年を365日とする暦が作られました。

古代エジプトの１年は、次の３つの季節からなります。

アケト：ナイル川の増水が始まってから終わるまでの季節
ペレト：ナイル川から氾濫した水が引き畑をつくる季節
シェムウ：ナイル川の水かさが減る暑い季節

古代エジプトでは、ナイル川の氾濫も含めて、この３つのサイクルで季節が循環していたのです。古代エジプト文明とナイル川の密接な繋(つな)がりがうかがえます。

古代エジプトでは、測量や人口調査など、実用的な数学が発達しました。また、円の面積の近似や三角錐(すい)、四角錐などの体積を求める公式などが考えられて、ピラミッドの建設などに用いられました。

古代エジプトでは、パピルスという草の繊維から作った紙を使っていました。英語で紙のことを「ペーパー」といいますが、これはエジプトの「パピルス」からきています。

古代エジプトでは、図0-4のような絵文字で数字を表していました。

絵文字の意味ですが、

１は１本の棒
10は牛の足を縛る紐
100は巻いてある縄
1000はナイル川のほとりに咲いたハスの花
10000はナイル川のほとりに生えるパピルス草の芽
100000はおたまじゃくし
1000000は天空を支えるヘフ神

1　10　100　1,000　10,000　100,000　1,000,000

図0-4　古代エジプトの絵文字

を表しているといいます。ヘフ神が表す100万には、「無限」の意味があり、当時のエジプトにとって、100万はとてつもなく大きな数だったことが分かります。

古代エジプトでは、分数の考え方もありました。しかし、分子が１の分数は存在したのですが、分子が１以外の分数は存在しませんでした（例外的に、$\frac{2}{3}$を表す記号は存在しました）。

ですから、彼らは分数を「分子が１の分数の足し算」で表していました。たとえば、$\frac{5}{6}$を表すときに、$\frac{1}{2}+\frac{1}{3}$で表現していました。

$$\frac{5}{6}=\frac{1}{2}+\frac{1}{3}$$

$\frac{3}{5}$を表すときは、$\frac{1}{2}+\frac{1}{10}$と表現します。

$$\frac{3}{5}=\frac{1}{2}+\frac{1}{10}$$

今となっては、ややこしく見えますが、この方法は中世ヨーロッパまで使われていました。それを思うと、$\frac{5}{6}$や$\frac{3}{5}$のような「分子が１でない分数の記号」がある現代の便利さを感じることができます。$\frac{3}{5}$と見たら、「５等分したうちの３つ分」とすぐに分かりますが、$\frac{1}{2}+\frac{1}{10}$と言われても、直観的に分かりません。

ここまで、古代メソポタミアや古代エジプトについて見てきました。5000年前というと、遥か彼方、遠い昔のように感じますが、実用的な計算だけを考えると、現代とそれほど変わらないことに、とても驚かされます。

古代メソポタミアや古代エジプトの数学は、古代ギリシャへと受け継がれていきます。そして、古代ギリシャで数学は「質的に」大きな変化を遂げました。それまでは実用的な数学であったのが、古代ギリシャでは学問的な理論が重要視されるようになったのです。たとえば、$\sqrt{2}$の近似や三平方の定理は、古代メソポタミアの時代から知られていたといわれていますが、古代ギリシャで$\sqrt{2}$が整数の比で表されない無理数であることが発見され、三平方の定理も証明されました。

また、古代ギリシャの数学者ユークリッドは、その著作『原論』において幾何学や整数論などの理論を展開しました。そこでは、定義や公理から出発して定理を証明するという、現代の数学のスタイルで記述されています。

マヤ文明に0の起源があった

3世紀から9世紀にかけて、現在のメキシコの南東部において、マヤ文明が栄えました。精密なマヤ暦を持ち、天体観測を行い、神殿やピラミッドを建設していました。

マヤ文明では、次のような20進法が使われていました。

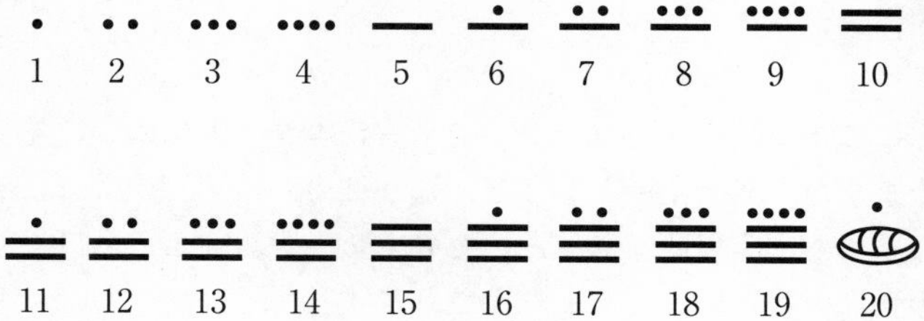

1 2 3 4 5 6 7 8 9 10

11 12 13 14 15 16 17 18 19 20

数え方は次のようになります。

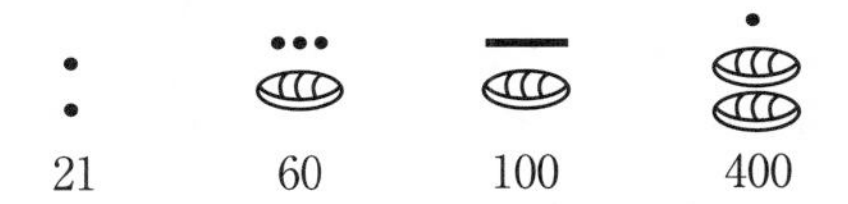

20が基準になっているので、現代の私たちには少し数えにくいかもしれませんが、ここで、よく見てほしいことがあります。マヤ文明の数字には、これまでには見られなかったものがあります。

それは、0を表す記号です。次の貝殻のような記号が0を表しています。

すなわち、マヤ文明において、「0の概念」が記号として確立したのです。

マヤの他にも、0の起源については紀元前500年頃のメソポタミア、3～4世紀のインドなど諸説あります。

これらのように、位が0であることを表す文字としては、様々な地域で使われていましたが、計算ができる「数」として0が確立したのは、5～7世紀のインドだといわれています。

古代メソポタミア、古代エジプト、マヤと見てきましたが、数の歴史に思いをはせると感慨深いものがあります。

負の数の発見

負の数は紀元前100年頃には知られていました。ただし、

「マイナス３個のりんご」が存在しないように、負の数は実体がない意味のない数だと考えられてきました。

３世紀、プトレマイオス朝エジプトの数学者ディオファントスは、著書『算術』において、$4x+20=0$と等価な方程式について、「この方程式はばかげている」と述べています。この方程式は解が負の数になるので、当時は意味がないと考えられていたのです。

３～４世紀頃、インドで書かれた『バクシャーリー写本』では負の数による計算を行っていました。また、黒いドットで記されたゼロの記号も書かれていました。『バクシャーリー写本』は、パキスタンのバクシャーリー村の付近で掘り起こされた写本で、著者は知られていません。

その後、628年、インドの数学者・天文学者であるブラーマグプタの著作『ブラーフマスプタ・シッダーンタ』では、方程式の解の公式を作るにあたり、負の数について論じています。そこには、負の数と０に関する演算の規則が記されており、ここではっきりと、負の数と０が数として明確に確立したことが見て取れます。

負の数の考え方は、アラビア語とインド語の翻訳を通して、ヨーロッパに伝わります。しかしながら、17世紀頃まで、負の数の概念は、ヨーロッパでは受け入れられませんでした。

1759年、イギリスの数学者フランシス・マセレスは、「負の数は存在しない」という結論に達しました。数学史上にその名を刻むスイス生まれの数学者オイラーでさえ、負の数は無限大より大きいと信じていました。当時のヨーロッパでは、方程式が負の数を持つときは、それを無視するのが通例だったのです。

その後、ようやく負の数は広く認められるようになりました。紀元前100年頃に知られていた負の数が、18世紀頃に認められるまで、約2000年近くもかかっているのです！　人間、見えないものは、なかなか信じられないようです。

第1章

現代へ続く道
〜自然数から実数へ〜

1. 数が「閉じている」という考え方
～自然数から実数への拡張～

自然数は四則演算ができるのか？

これまで数の起源として、古代メソポタミア、古代エジプト、マヤの数を見てきましたが、現代的な立場から、数の広がりについて見ていきましょう。

$$1, 2, 3, 4, 5, \cdots$$

という数は、現代では**自然数**（natural number）といわれています。自然数の全体からなる集合を記号$\boldsymbol{N}$で表します。

$$\boldsymbol{N} = \{1, 2, 3, 4, 5, \cdots\}$$

集合で表すとき、このように属している要素を直接書く方法と

$$\boldsymbol{N} = \{n \mid n \text{は自然数}\}$$

のように、集合に属する条件を言葉や式で表す方法の２種類あります。後者の場合、「nは自然数」という条件を満たすnの集まりが集合$\boldsymbol{N}$であることを表しています。

それでは、自然数と四則演算の関係を調べてみます。

$$1+3=4, \qquad 2+5=7, \qquad 5+8=13$$

のように、どんな２つの自然数を足しても、自然数になります。このことを、自然数の集合は加法（和）で**閉じている**といいます。今後、単に、自然数は加法で閉じているということにします。

減法（差）についてはどうでしょうか。$7-3=4$のように自然数になることもありますが、$3-5=-2$のようにマイナスになって自然数にならないこともあります。このように、１つでも例外があれば、**閉じていない**といいます。つまり、自然数は減法について閉じていないといいます。

自然数は乗法（積）について閉じています。どんな２つの自然数を掛けても自然数になるからです。

除法（商）については、$8\div2=4$のように割り切れて自然数になることもありますが、$1\div3=\frac{1}{3}$のように分数になることもあるので、自然数は除法について閉じていません。ただし、除法を考えるときは、通常０で割ることだけは除きます。なぜなら、０で割ることはできないからです。

本書でも、今後、除法で閉じているかどうかを考えるとき、０で割ることは除いて考えます。

ここまでをまとめると、自然数の集合は加法、乗法について閉じていますが、減法、除法については閉じていないということが分かります。

演算で閉じているかどうかという性質を、代数的な性質といいます。

整数、有理数、実数の四則演算を調べよう！

自然数が四則演算で閉じているかどうかを見てきましたが、それでは整数、有理数、実数についても調べてみましょう。

自然数（1, 2, 3, …）と0および自然数に負号をつけた数（−1, −2, −3, …）のことを**整数**（integer）といいます。

整数：…, −2, −1, 0, 1, 2, 3, 4, …

整数の全体からなる集合を記号$\boldsymbol{Z}$で表します。これはドイツ語で「数」を意味するZahlenの頭文字です。

$$\boldsymbol{Z}=\{\cdots, -2, -1, 0, 1, 2, 3, 4, \cdots\}$$

自然数はすべて集合$\boldsymbol{Z}$に含まれていますから、整数全体の集合$\boldsymbol{Z}$は、自然数全体の集合$\boldsymbol{N}$を含みます。これを記号で、

$$\boldsymbol{N}\subset\boldsymbol{Z}$$

と表します。

整数は、自然数と同じように加法と乗法で閉じています。また、マイナスの数も整数なので、減法でも閉じています。ただ、割り算をすると分数になることもあるので、除法では閉じていません。

2つの整数m, n（ただし、$m\neq 0$）によって$\frac{n}{m}$と表される数を**有理数**（rational number）といいます。$m=1$のときは、$\frac{n}{m}=\frac{n}{1}=n$となり整数になるので、整数も有理数です。有理数の全体からなる集合を記号$\boldsymbol{Q}$で表します。これはquotient（商）の頭文字です。

有理数は加法、減法、乗法、除法で閉じています。たとえば、

$$\frac{1}{3}+\frac{1}{2}=\frac{5}{6},\qquad \frac{4}{5}-\frac{3}{2}=-\frac{7}{10},$$

$$\frac{7}{4}\times\frac{2}{3}=\frac{7}{6},\qquad \frac{3}{2}\div\left(-\frac{1}{8}\right)=-12$$

のように四則演算で閉じています。

有理数は、

$$\frac{1}{2}=0.5,\qquad \frac{1}{4}=0.25,\qquad \frac{1}{8}=0.125,$$

$$\frac{1}{3}=0.333333\cdots,\qquad \frac{584}{111}=5.261261261\cdots$$

のように小数で表すと、小数点以下が「有限でとまる」場合と「循環して無限に続く」場合の２通りあります。前者を**有限小数**、後者を**循環小数**といいます。

一方、$\sqrt{2}$や円周率πは、

$$\sqrt{2}=1.4142135623\cdots$$
$$\pi=3.1415926535\cdots$$

のように循環せずに無限に続いています。このように循環せずに無限に続く数を**無理数**（irrational number）といいます。無理数は、２つの整数m, n（$m\neq0$）によって$\frac{n}{m}$と表すことのできない数ということもできます。

円周率πと並んで、もう１つ重要な無理数を紹介します。実数tに関する次の式を考えます。

$$(1+t)^{\frac{1}{t}}$$

たとえば、$t=1$のときは、$(1+1)^{\frac{1}{1}}=2^1=2$となります。ここで、$t$を限りなく0に近づけたとき、この式がどんな値になるかを見てみます。

$t=0.1$のとき、$(1+t)^{\frac{1}{t}}=2.593742\cdots$
$t=0.01$のとき、$(1+t)^{\frac{1}{t}}=2.704813\cdots$
$t=0.001$のとき、$(1+t)^{\frac{1}{t}}=2.716923\cdots$
$t=0.0001$のとき、$(1+t)^{\frac{1}{t}}=2.718145\cdots$

このまま続けていくと、tを限りなく0に近づけたとき、$(1+t)^{\frac{1}{t}}$は、

$$2.718281828459\cdots$$

の値に近づくことが知られています。このとき、tが

$$-0.1,\ -0.01,\ -0.001,\ -0.0001,\ -0.00001,\cdots$$

のようにマイナスから0に近づいたときなど、どのように0に近づいたときでも、同じ値に近づくことが分かっています。この値をeとおきます。

$$e=2.718281828459\cdots$$

eは**ネイピア数**と呼ばれ、無理数になることが知られています。

ネイピア数は、自然現象や人間の経済活動を数式で表現する際に現れ、数学的には対数関数や指数関数の底(てい)としてよく

用います。特に、対数関数を微分するときに必要となります。

有理数と無理数を合わせて**実数**（real number）といいます。実数の全体からなる集合を記号$\boldsymbol{R}$で表します。有理数と同様、実数も加法、減法、乗法、除法で閉じています。無理数は、加法、減法、乗法、除法のすべてで閉じていません。たとえば、

$$\sqrt{2}+(-\sqrt{2})=0, \qquad \sqrt{3}-\sqrt{3}=0,$$
$$\sqrt{5}\times\sqrt{5}=5, \qquad \sqrt{7}\div\sqrt{7}=1$$

となります。ですから、数の拡張としては、

自然数 → 整数 → 有理数 → 実数

を考えます。

以上のことをまとめると、図1−1のようになります。

この表を見ると分かるように、自然数、整数、有理数、実数と数が拡張されていくにつれて、閉じている演算が増えていきます。その理由は、「数の拡張」の数学的なプロセスを考えると、見えてきます。

	加法(和)	減法(差)	乗法(積)	除法(商)
自然数の集合	○	×	○	×
整数の集合	○	○	○	×
有理数の集合	○	○	○	○
実数の集合	○	○	○	○

図1-1

直観的にいうと、

「整数の集合は、自然数の集合に、零とマイナスの数を加えた数の集まり」

といえるので、減法で閉じるようになります。マイナスの数は、加法に関する逆元ともいえます。たとえば、3の加法に関する逆元は-3となります。

次に、有理数への拡張を直観的にいうと、

「有理数の集合は、整数の集合に、分数を加えた数の集まり」

といえるので、除法で閉じるようになります。分数は、乗法に関する逆元ともいえます。たとえば、3の乗法に関する逆元は$\frac{1}{3}$となります。

ここで、数学的な言葉遣いについて説明します。一般に、数a, bに対して、演算$\circ$を施すことを$a \circ b$で表すとします。たとえば、加法の場合は$a \circ b = a + b$、乗法の場合は、$a \circ b = a \times b$となります。いま、ある数eが、(考えている範囲の)すべての数aに対して、

$$a \circ e = e \circ a = a$$

を満たすとき、eのことを演算$\circ$に関する**単位元**といいます。ここでいうeは、文字を表す記号としてのeであって、ネイピア数ではありません。

加法の単位元は0、乗法の単位元は1です。

加法：$a+0=0+a=a$
乗法：$a\times 1=1\times a=a$

特に、加法の単位元のことを**零元**といいます。
また、数aに対して、ある数a'が存在して、

$$a\circ a'=a'\circ a=e$$

を満たすとき、a'を演算$\circ$に関する**逆元**といいます。数aに対して、加法の逆元は$-a$、乗法の逆元はa^{-1}です。ただし、乗法に関しては$a\neq 0$のとき逆元が存在します。

加法：$a+(-a)=(-a)+a=0$
乗法：$a\times a^{-1}=a^{-1}\times a=1 \qquad (a\neq 0)$

さて、このような概念を用いて数の拡張を眺めると、有理数までの拡張は、「自然数から出発して、加法の逆元や乗法の逆元をつけ加えていく」という操作を行って拡張をしていることが分かります。そのため、減法、除法と順次閉じるようになるのです。このように考えると、数の拡張とともに、四則演算で閉じている範囲が広がっていく理由が分かります。

これまで、

「自然数 → 整数」「整数 → 有理数」

の拡張について数学的な側面を見てきましたが、

「有理数 → 実数」

の拡張は決定的に違います。それでは次に、この拡張につい

て見ていきましょう。

有理数から実数への拡張の鍵

自然数から出発して数を拡張するとき、「自然数から整数」では零元と加法の逆元を、「整数から有理数」では乗法の逆元を加えるという形で拡張してきました。これらは演算という代数的な性質に注目して拡張した代数的な拡張といえます。

ところが、「有理数から実数」では無理数を付け加えています。無理数とは無限に続く循環しない数のこと。無理数を厳密に扱うには、極限の考え方が必要になります。極限の考えを含んだ拡張なので、有理数から実数への拡張は解析的な拡張といえます。

解析的という言葉遣いは、関数や極限といった解析学（微分積分学）の手法をイメージしていただくとよいと思います。

無理数と解析学の関係ですが、たとえば、円周率πは3.1415926535…と無限に続きますが、

$$\frac{\pi}{4}=1-\frac{1}{3}+\frac{1}{5}-\frac{1}{7}+\frac{1}{9}-\cdots$$

と無限和の極限として表現されることが分かっています。これは微分積分学のマクローリン展開という手法を用いて証明することができます。

このようなことから、有理数から実数の拡張は解析的な拡張といえます。このことは、実数上で微分積分学を展開でき

る根拠であるといえます。

これは興味深い題材なのですが、本書ではこれ以上深入りしないようにします。

これまで、自然数から実数までの数の拡張を見てきました。実数は１本の数直線で表されます。数直線上の点と実数が１対１に対応します。

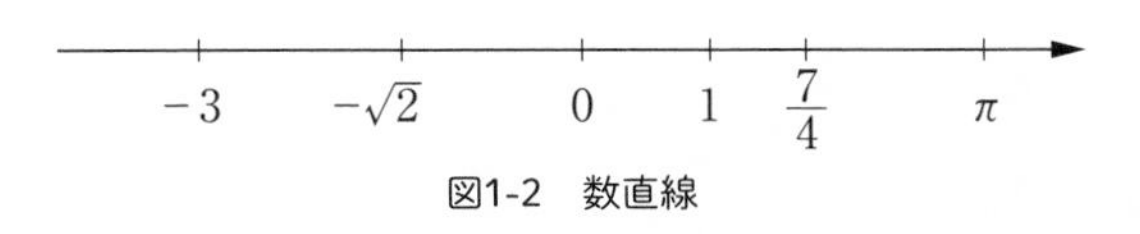

図1-2　数直線

自然数から実数までの数の拡張は次のような図を描くとイメージしやすいと思います。

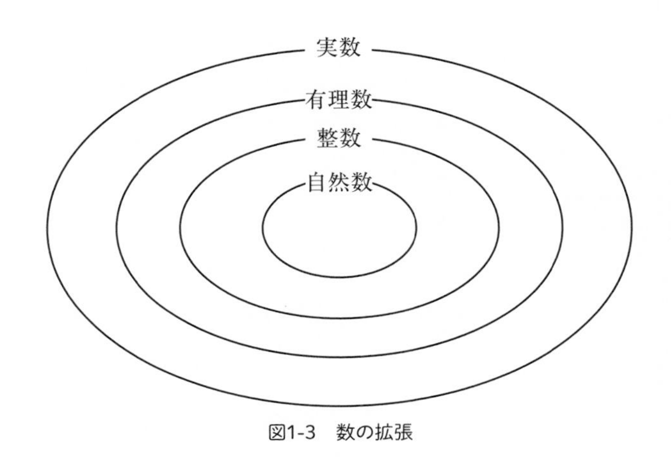

図1-3　数の拡張

集合の記号で表すと、数の拡張は次のようになります。

$$N \subset Z \subset Q \subset R$$

これで自然数から実数までの拡張が完成しました。実数では、四則演算ができ、数直線上の点もすべて表すことができます。また、実数上では、微分積分学も展開できます。

これですべての数がそろったのでしょうか？

言い方を変えると、

数の体系としては、これで十分なのでしょうか？

自然数から実数まで拡張することで、数がすべてそろったように思われるかもしれません。しかし、果たしてそうでしょうか。

実は、虚数の概念を導入することで、数学はさらなる発展を遂げるのですが、それは次の章で見ていきます。

円周率とネイピア数について

円周率の歴史は古く、古代メソポタミアのシュメール人は円周率を知っていました。彼らが実用的な近似計算を行っていたことは、彼らの粘土板を読み取ることで分かっています。

紀元前４世紀、古代ギリシャの哲学者アリストテレスは、円周率が無理数であることを予想しました。

ところが、円周率が無理数であることが証明されたのは、

2000年以上あとになります。1761年、ドイツの数学者ランベルトが円周率の無理数性を証明しましたが、厳密性に欠けた部分があったため、1794年にフランスの数学者ルジャンドルが補い、証明が完成しました。

一方、円周率に比べて、ネイピア数が発見されたのは遅く、17世紀になってからでした。1618年、スコットランドの数学者ネイピアによって発表された対数の研究の付録として収録された表に記述されていました。その表自体はイギリスの数学者アウトレッドによって書かれたものでした。ただし、自然対数のいくつかの値だけが書かれていて、ネイピア数である自然対数の底自体については記述されていませんでした。

ネイピア数そのものを、初めて発見したのは、スイスの数学者ヤコブ・ベルヌーイでした。彼は極限値として、ネイピア数を見出しました。ネイピア数に初めて定数記号を当てはめたのはドイツの数学者ライプニッツだといわれていますが、オイラーが記号eを使い始め、現在に至ります。

文字と方程式について

方程式の歴史は古代メソポタミアにまでさかのぼります。古代メソポタミアでは言葉を用いて、2次方程式や連立方程式を考えていました。まだ代数的な「文字」がなかったのです。負の数の概念もなく、正の解だけを求めていました。

ローマ帝国時代のエジプトの数学者ディオファントスは、著書『算術』において、未知数を表すのに記号を用いました。これが歴史的に見た最初の「文字」の登場です。ただ

ディオファントス	現代
$\overset{\circ}{M}$	–
ς	X
Δ^Y	X^2
K^Y	X^3
$\Delta^Y\Delta$	X^4
ΔK^Y	X^5
KK^Y	X^6
Λ	–

図1-4　ディオファントスの代数記号

し、ディオファントスの用いた文字は、あまり継続的な発展をしませんでした。

古代ギリシャに代わって、数学の表舞台となったアラビアでは、言葉を用いて方程式を表現していました。アラビアの代表的な数学者フワーリズミーによる820年頃の著作『アルジェブラとムカーバラの算法の書』では、言葉を用いて2次方程式が記述されています。そこでは、2次方程式を6つの形式に分類し、それぞれの解法を示しています。『アルジェブラとムカーバラの算法の書』はアラビア語からラテン語に翻訳され西欧に伝えられ、現代の文字が登場する土壌となりました。

17世紀になり、フランスの数学者・哲学者であるデカルトにより、代数的な記号法が完成しました。デカルトは「我思う、ゆえに我あり」で有名な著作『方法序説』の本論として

$$x^4 + 4x^3 - 19xx - 106x - 120 \infty 0$$

$$y^3 - byy - cdy + bcd + dxy \infty 0$$

$$y \infty - \frac{1}{2} a + \sqrt{\frac{1}{4} aa + bb}$$

図1-5　デカルトの代数記号

書かれた『幾何学』において、図1–5のように現代と変わらない記号を用いて数式を表現しました。これにより代数記号の現代的な表記が整い、その後の数学の発展に大きな貢献をしました。デカルトの代数記号の図を見ると、イコールの記号∞と２乗の記号 xx, yy, aa, bb を除けば、現代と同じ記号であることが分かります。

法則性に注目する Ⅰ

「木を見て森を見ず」

という言葉がありますが、現代の数学、特に代数学の分野では、個々のものというより全体的な性質に注目する傾向があります。ここでは、そのようなことを見ていきます。演算に共通する法則性に注目してみましょう。

以後、この章では、特に断りがなければ、数は実数の範囲で考えることにします。

最初に、加法においては、

$$3+5=5+3$$

というように、順序を逆にしても同じ結果になります。ここでは、3+5が８になるという計算自体ではなく、3+5の順序を逆にして5+3にすることができるという法則性に注目しているのです。これを**交換法則**といいます。

交換法則　$a+b=b+a$

交換法則が成り立つことを**可換**といい、成り立たないことを**非可換**ということもあります。

当たり前のように思われるかもしれませんが、

$5-3=2, \quad 3-5=-2$

となり、数の順序を逆にすると答えが変わってきます。だから、減法では交換法則は成り立ちません。１つでも満たさない例があるとき、その法則は成り立たないといいました。

乗法では$2\times3=3\times2$のように交換法則が成り立ちますが、除法では、

$6\div2=3, \quad 2\div6=\frac{1}{3}$

のように成り立ちません。

日常生活ではどうでしょうか？　たとえば、コンビニでアイスを買うとき、次の２つの場合を考えてみます。

「お金を払ってからアイスを食べる」
「アイスを食べてからお金を払う」

前者は問題ありませんが、後者は窃盗になってしまいます。このように、日常生活では交換法則が成り立たない現象がよくあります。

ただ、算数や中学校の数学までは、可換な数しか扱いませんので、交換法則が成り立つのが当たり前のような感覚になっているのです。以前は、高校に「行列」の分野があったので、非可換なものに触れる機会がありましたが、現在では、行列は大学の線形代数学に移行しました。高校で習う関数の合成などは非可換な性質を持つのですが、授業ではあまりそのことを強調しないので、現在の高校数学は可換なイメージが強いといえます。

ここまでをまとめると、

> 四則演算のうち加法と乗法は交換法則が成り立つが、
> 減法と除法では成り立たない

ということが分かりました。

法則性に注目するⅡ

交換法則の他にはどのような法則があるでしょうか。ここでは、３つの数の法則性を見てみましょう。たとえば、

$$1+2+3=6$$

という式を見てください。これも当たり前に見えますが、ここには次のような法則が潜んでいます。

$$(1+2)+3=1+(2+3)$$

これを丁寧に計算すると次のようになります。

$$(1+2)+3=3+3=6$$
$$1+(2+3)=1+5=6$$

つまり、加法はどこから計算しても同じ値になります。だから、括弧を省略して1+2+3と表記してもよいのです。

一般に、

$$(a+b)+c=a+(b+c)$$

という規則のことを**結合法則**といいます。結合法則が成り立たないとき、**非結合**という言葉を用いることもあります。

乗法も$(2\times3)\times4=2\times(3\times4)$のように、結合法則が成り立ちます。一般に、

$$(a\times b)\times c=a\times(b\times c)$$

が成り立ちます。通常は、×の記号は省略して、$(ab)c=a(bc)$と表記します。

結合法則を日常生活でたとえるとどうでしょうか？

「晩ご飯を食べる」「お風呂に入る」「寝る」

の３つの要素で考えると、

「『晩ご飯を食べてからお風呂に入り』そのあと『寝る』」

ということと

「『晩ご飯を食べた』後に『お風呂に入り寝る』」

ということは、同じ現象を表しています。日常生活では、結合法則は成り立ちやすいのかもしれません。

これまで加法と乗法を別々に見てきましたが、この２つをつなぐ法則が分配法則になります。

$$a(b+c)=ab+ac, \qquad (a+b)c=ac+bc$$

これらを**分配法則**といいます。
たとえば、$2\times(3+4)=2\times3+2\times4$となります。
ここまでの要点をまとめます。

・四則演算で結合法則と交換法則の両方が成り立つのは、加法と乗法だけである。

・引き算は（逆元の）足し算で表され、割り算は（逆元の）掛け算で表される。

・算数や中学までの数学は可換の世界の数学である。

環、体という考え方

これまで数を拡張するにあたり、数と演算の関係を考えてきましたが、それらを統一的に扱うために「環（かん）」や「体（たい）」という概念を現代の数学では考えます。ここでは、現代数学で欠かせない概念である環や体の考え方を説明します。

大まかには、和と積（と呼ばれる２つの演算）が定義され、結合法則や交換法則、分配法則などを満たす集合と演算の組を環といいます。たとえば、整数全体からなる集合$\boldsymbol{Z}$は、結合法則や交換法則、分配法則などを満たすので、環になります。今から、環Rの正確な定義を説明しますが、Rとして整数の全体からなる集合$\boldsymbol{Z}$をイメージするといいでしょう。

集合Rと（Rで閉じている）演算$+, \cdot$に対して、次の条件(1)～(7)を満たすとき、集合と演算の組$(R, +, \cdot)$を**環**(ring)といいます。

［Ⅰ］和に関する公理

(1) $(a+b)+c=a+(b+c)$：和に関する結合法則

(2) Rに0と書かれる特定の元が存在して、Rの任意の元aに対して、$0+a=a+0=a$が成り立つ。：零元の存在

(3) Rの任意の元aに対して、$a+(-a)=(-a)+a=0$を満たすRの元$-a$が存在する。：和に関する逆元の存在

(4) $a+b=b+a$：和に関する交換法則

［Ⅱ］積に関する公理

(5) $(ab)c=a(bc)$：積に関する結合法則

(6) Rに1と書かれる特定の元が存在して、Rの任意の元aに対して、$1 \cdot a=a \cdot 1=a$が成り立つ。：積に関する単位元の存在

［Ⅲ］和と積を結びつける公理

(7) $(a+b)c=ac+bc, \qquad a(b+c)=ab+ac$：分配法則

　これらを環の公理といいます。正確には環であるための「条件」ですが、慣習的に「公理」という言葉を使います。通常、$(R, +, \cdot)$ のことを、単にRと書きます。さらに

(8) $ab=ba$：積に関する交換法則

を満たすとき、Rを**可換環**といいます。
　環の公理に（積の）単位元の存在を仮定しないこともありますが、本書では単位元を持つ場合のみを扱いますので、単位元の存在も公理に加えておきます。

例　整数全体の集合$\boldsymbol{Z}$は通常の和と積に関して、環の公理を満たすので、$\boldsymbol{Z}$は可換環となります。

　次に、体の定義をします。大まかには、四則演算ができ、結合法則や交換法則、分配法則などを満たす集合と演算の組を体といいます。今から、体Fの正確な定義を説明しますが、Fとして有理数全体からなる集合$\boldsymbol{Q}$や実数全体からなる集合$\boldsymbol{R}$をイメージするといいでしょう。

　集合Fと（Fで閉じている）演算$+, \cdot$に対して、$(F, +, \cdot)$が環であり、さらに、次の条件

(9) Fの0以外の任意の元aに対して、$aa^{-1}=a^{-1}a=1$を満たすFの元a^{-1}が存在する。：積に関する逆元の存在
　ただし、0と1は異なるものとする。

を満たすとき、$(F, +, \cdot)$または単にFを**体**（field）といい

ます。

さらに、Fが積の交換法則（8）を満たすとき、**可換体**といいます。

体の呼び方は統一されておらず、ここでいう可換体のことを**体**といい、体のことを**斜体**（しゃたい）ということもあります。

直観的には、体というのは四則演算ができる集合をイメージするといいでしょう。

例　有理数全体の集合$\boldsymbol{Q}$、実数全体の集合$\boldsymbol{R}$は通常の和と積に関して、体の公理を満たすので、$\boldsymbol{Q}$と$\boldsymbol{R}$はともに可換体となります。

このような観点から捉えると、整数から有理数への拡張、すなわち、$\boldsymbol{Z}$から$\boldsymbol{Q}$への拡張というのは、環から体への拡張であるといえます。

有理数と実数の違いは何か？

$\boldsymbol{Q}$と$\boldsymbol{R}$はともに可換体ですが、どこに違いがあるのでしょうか。次にそのことを考えてみます。

たとえば、

$$1, 1.4, 1.41, 1.414, 1.4142, 1.41421, \cdots$$

という有理数の列を考えます。この数の列は、

$$\sqrt{2} = 1.41421356\cdots$$

に限りなく近づきます。数学的な表現でいうと、「この数列の極限は$\sqrt{2}$である」といいます。$\sqrt{2}$は無理数です。

このことは、「それぞれの数は有理数でも、その極限は無理数になることもある」ということを表しています。

すなわち、有理数の全体からなる集合は、極限操作で閉じていないということです。極限操作で閉じているという性質を、数学では**完備性**といいます。

実数は、収束するどのような数の列をとっても、その極限は実数になります。このことから、実数は完備性がいえます。一方、先ほどの例からも分かるように、有理数は完備性がいえません。これが有理数体$\boldsymbol{Q}$と実数体$\boldsymbol{R}$の決定的な違いです。

極限操作の違いですから、代数的というより解析的な違いといえます。実数では微分積分学が構築されていますが、有理数ではあまり微分積分学を考えられない理由がここにあるのです。

１＋１が０になる？

最も小さな環はどんなものでしょうか。

０だけからなる集合$\{0\}$を考えてみましょう。この集合も結合法則$(0+0)+0=0+(0+0)$、交換法則$0+0=0+0$、分配法則$0\times(0+0)=0\times0+0\times0$などを満たし、０の加法に関する逆元は０になるので、環の公理を満たします。

ですから、$\{0\}$も環になります。これはある意味最も小さい環ですが、$1=0$となる特別な環になるので、通常は最も小さな環（体）として、０と１が異なる$(0\neq1)$ものとし、

0と1からなる集合{0, 1}を考えます。この集合を記号Z_2で表します。0と1は整数ですから記号Zで表し、2個の数からなる集合なので、右下に2と添え字をつけます（正確には、0, 1が2で割った余りを表していることから添え字の2をつけます）。

$$Z_2 = \{0, 1\}$$

Z_2が環になるためには、和+と積・をどのように定義すればよいか考えてみましょう。
「0は掛けたら0」、「1は単位元」なので、積は次のようになることが分かります。

$$0 \cdot 0 = 0, \qquad 1 \cdot 0 = 0 \cdot 1 = 0, \qquad 1 \cdot 1 = 1$$

和はどうでしょうか。0は和の単位元（零元）ですから、

$$0 + 0 = 0, \qquad 0 + 1 = 1 + 0 = 0$$

が分かります。問題は1+1です。通常は1+1=2ですが、今は集合{0, 1}を考えているので、数字の2は使えません。つまり、今の場合、

$$1 + 1 = 0 \quad \text{または} \quad 1 + 1 = 1$$

のどちらかで定義しなければならないのです。

ここで、もし1+1=1と定めたとします。すると、両辺から1を引く（正確には1の逆元を加える）ことによって、1=0を得るので、これは矛盾です。

そこで、1+1=0と定義することで、結合法則や分配法則などを満たし、環の公理を満たすことが分かります。

〈和の演算表〉

	0	1
0	0	1
1	1	0

〈積の演算表〉

	0	1
0	0	0
1	0	1

図1-6　Z_2の和と積

結合法則$(a+b)+c=a+(b+c)$を確かめるには、a, b, cがそれぞれ０または１のときを個別に確かめればよいのです。たとえば、$a=1, b=1, c=0$のときは、

$$(1+1)+0=0+0=0, \qquad 1+(1+0)=1+1=0$$

であるから、

$$(1+1)+0=1+(1+0)$$

が成り立ちます。a, b, cが他の値のときも、同じように確かめることができます。

さらに、Z_2において、１の（積に関する）逆元は１であるので、体の公理も満たします。よって、０と１からなる集合$Z_2=\{0, 1\}$は体になります。

Z_2の和と積を表にまとめると図1-6のようになります。このような表を**演算表**といいます。

$1+1=0$というのは、なんとも不思議な感じがします。Z_2は有限個の要素からなる体なので、**有限体**といいます。

群の考え方

環や体は、和と積の２つの演算を持っていますが、もっとシンプルに１つの演算を持つ集合を考えてみましょう。１つの演算を持つ集合に対しては、「群（ぐん）」という概念があります。群の概念を知っておくと、数の拡張の理解を助けますので、ここに書いておきます。

集合Gと演算$\circ$の組（$G, \circ$）が次の３つの条件

(1) $(a \circ b) \circ c = a \circ (b \circ c)$

(2) あるeがGに存在して、Gのすべての要素aに対して、

$a \circ e = e \circ a = a$

が成り立つ。

(3) すべてのGの元aに対して、あるa^{-1}がGに存在して、

$a \circ a^{-1} = a^{-1} \circ a = e$

が成り立つ。

を満たすとき、（$G, \circ$）は**群**であるといいます。通常は、単にGが群であるといいます。

さらに、次の条件

(4) $a \circ b = b \circ a$

を満たすとき、Gを**可換群**、または、**アーベル群**といいます。演算が＋で表される可換群のことを**加法群**ということもあります。これらの条件を群の公理といいます。

たとえば、整数全体の集合$\boldsymbol{Z}$は、演算＋に関して、加法群になります。

また、有理数全体の集合$\boldsymbol{Q}$から０を除いた集合は、積に関して可換群になります。同様に、実数全体の集合$\boldsymbol{R}$から０を除いた集合も、積に関して可換群になります。

2．0の不思議
～その性質を探る～

0について考える

0という数は普段当たり前のように使っていますが、よく考えると、とても不思議な数だといえます。

「お皿の上に、りんごが3個存在します」

というのは誰でも理解できますが、

「お皿の上に、りんごが0個存在します」

と表現すると、「空」や「空虚」の考えにもつながり、不思議な感覚になります。もし、カレンダーに0日があったら不思議な感覚になりませんか？

それでは、0の数学的な側面を見ていきましょう。加法と乗法については、

どんな数に0を足しても変わらず、
0を掛けたら0になる。

という特徴的な性質があります。

どんな数に0を足しても変わらないというのは、

$$3+0=0+3=3$$

というように、いくら0を足しても、元の数は変わらないという意味です。3個のりんごに0個のりんごを加えても3個のままです。つまり、何もないものを加えても変わらないのです。一般には、

$$a+0=0+a=a$$

と表されます。これは0の定義といえます。

それでは、$3\times0=0$はどうでしょうか？

感覚的には当たり前に思えるかもしれませんが、数学では定義から、「成り立つ性質」を証明しなければいけません。

問題
$3\times0=0$を証明せよ。

いざ証明せよといわれても、戸惑うかもしれませんが、ここではどのように証明すればいいのかを考えてみます。
このような問題を出されたとき、大抵の人は、次のように考えるのではないでしょうか。

（解答1）
3個のりんごが置かれている皿がいくつかあります。
たとえば、2皿だと、りんごの数は
$3\times2=6$（個）。

だから、0皿だと、りんごの数は

$3\times0=0$（個）。

証明というより説明に近いですが、素朴な解答で、それなりに納得できます。しかし、皿がないのに、「その上に3個？」というように、「3個のりんごが載っている皿が0皿あります」というのが想像できません。

それにこの方法だと、$-3\times0=0$が証明できません。皿の上に、-3個のりんごが載っていることは、あり得ないからです。

それでは、数学的に最も エレガントな解答を紹介します。

（解答2）

$3\times0=3\times(0+0)$ より、

$3\times0=3\times0+3\times0$

両辺から、3×0を引くことで、

$0=3\times0$

したがって、$3\times0=0$

これなら-3×0の場合にも同じように証明できます。これは鮮やかな解答ですが、なかなか思いつかないものです。特に、1行目の$3\times0=3\times(0+0)$の変形は、いきなり思いつきません。

実は、この証明は大学の代数学の授業で習う証明なのです。大学の数学科（数理科学科）の環論の授業で習います。だから、思いつかなくても、まったく気にする必要はないの

です。

ここで、解答２の式変形をよく見てください。

$$3\times(0+0)=3\times0+3\times0$$

のところで、分配法則を使っています。すなわち、この解答は分配法則を使っているということに気づいてください（あと、両辺から同じものを引いても等しいということも使っています）。

普段、当たり前のように使っているので、無意識のうちに計算していますが、私たちの計算は、分配法則や交換法則、結合法則などに支えられているのです。

このように、定義や公理から出発して、四則演算や分配法則、交換法則、結合法則などを用いて証明することを、代数的な手法といい、代数学の分野の考え方となります。

０の割り算

これまで、０の足し算や掛け算について見てきましたが、割り算はどうでしょうか。

最初に、０で割ることを考えてみます。

$$3\div0=?$$

答えとその理由を説明できますか？

０は何を掛けても０なので、3÷0も０だと勘違いしやすいので注意してください。3÷0は０ではありません。

3÷0は「存在しない」

というのが正解です。

0の不思議な性質として、0で割れないというのがあります。

なぜでしょうか？　ここではその理由を考えてみます。

割り算の意味を知ってもらうため、いきなり0を考えるのではなく、最初に6÷2から考えてみましょう。

6÷2はいくつですか？

と聞かれたら、「そんなの3に決まってる」と思われるかもしれません。

「では、どうして3だと分かったのですか？」

と問われると、戸惑うかもしれません。なぜなら、6÷2はほぼ瞬間的に3と出てくるからです。これは瞬時に計算しているので、気づきにくいのですが、6÷2=?と聞かれたら、ほとんどの人が頭の中で2×3=6を計算して、6÷2=3と答えています。理屈を考えると、

$$6 \div 2 = 3 \quad \Leftrightarrow \quad 6 = 2 \times 3$$

という変換を、無意識のうちにしていることになります。すなわち、

割り算の計算を、掛け算として頭の中で処理している

ということになります。

一般に、割り算を掛け算で表現すると、

$$b \div a = c \quad \Leftrightarrow \quad b = a \times c$$

となります。

それでは、これらのことを踏まえて、3÷0について考えてみましょう。3÷0＝□とおいて、これを掛け算に直すと、次のようになります。

$$3 \div 0 = \square \quad \Leftrightarrow \quad 3 = 0 \times \square$$

□に入る数が3÷0の答えです。しかし、０に何を掛けても０なので、0×□が３になるような□はありません。だから、「3÷0は存在しない」というのが答えなのです。

分数で書くと、「$\frac{3}{0}$は存在しない」となります。中学や高校では、

分母に0がきてはならない

と習い、試験で分母に０を書くと減点されます。減点されるのが嫌で、分母に０を書いてはいけないと機械的に暗記している人もいるかもしれません。

それでは3÷0の０と３を逆にして、0÷3にするとどうでしょうか。今までの考え方を理解していれば、すぐに分かります。

$$0 \div 3 = \square \quad \Leftrightarrow \quad 0 = 3 \times \square$$

と直すことで、3×□＝0の□に入るのは０だと分かります。ですから、0÷3＝0になります。

0÷3は0だけど、3÷0は「存在しない」。なんだか不思議です。

0の割り算の不思議

0の割り算を、さらに探究していきましょう。
0を0で割る、すなわち、

$$0 \div 0$$

はどうでしょうか？
これまでと同じように、考えてみます。これを掛け算に直すと、

$$0 \div 0 = \square \quad \Leftrightarrow \quad 0 = 0 \times \square$$

となります。$0 \times \square = 0$を考えると、□にはどんな数でも入ることができると分かります。つまり、□にどんな数を入れてもこの式は成り立ちます。
ですから、

0÷0はすべての数をとることができる

となります。なんだか不思議ですね。

最後に、分母が0になる現象をイメージしやすいように、極限の考え方で捉えてみましょう。
文字xに対して、$\frac{1}{x}$という式を考えます。いま、xを

$$1, 0.1, 0.01, 0.001, 0.0001, \cdots$$

と限りなく0に近づけると、$\frac{1}{x}$は

$$1, 10, 100, 1000, 10000, \cdots$$

と限りなく大きくなることが分かります。このことを、

> xをプラス方向から0に近づけると、
> $\frac{1}{x}$は無限大に近づく

といいます。無限大は記号∞で表し、「無限大」と読みます。

また、xをマイナス方向から

$$-1, -0.1, -0.01, -0.001, -0.0001, \cdots$$

のように限りなく0に近づけると、$\frac{1}{x}$は

$$-1, -10, -100, -1000, -10000, \cdots$$

となり、限りなく小さくなることが分かります。このことを、マイナス無限大（$-\infty$）に近づくといいます。

プラス方向から0に近づけたときと、マイナス方向から0に近づけたときで、$\frac{1}{x}$の近づく先が異なるわけですから、一般に、

> xを0に近づけたとき、$\frac{1}{x}$の極限は存在しない

といえます。

このことは、$y=\frac{1}{x}$のグラフを書くと、イメージしやすいと思います。

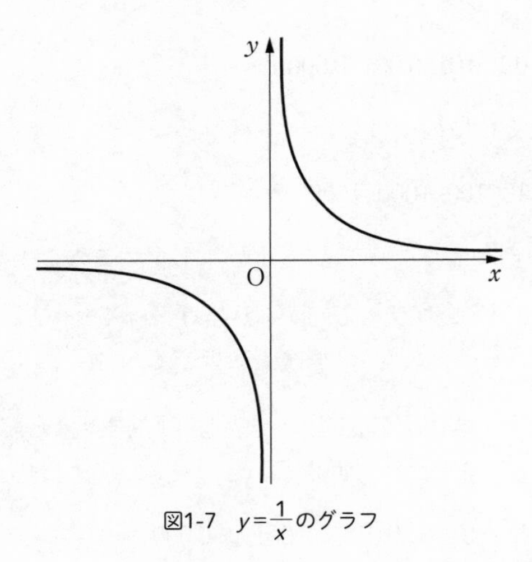

図1-7　$y=\frac{1}{x}$のグラフ

図1−7を見ると、xがプラス方向から0に近づくとき、yは限りなく大きく、xがマイナス方向から0に近づくとき、yは限りなく小さくなることが分かります。

ここまでのまとめ

☆数は自然数から、整数、有理数、実数へと拡張される。

$\boldsymbol{N}$：自然数の全体からなる集合

$\boldsymbol{Z}$：整数の全体からなる集合

$\boldsymbol{Q}$：有理数の全体からなる集合

$\boldsymbol{R}$：実数の全体からなる集合

$$\boldsymbol{N} \subset \boldsymbol{Z} \subset \boldsymbol{Q} \subset \boldsymbol{R}$$

☆無理数の例

$\pi = 3.1415926535\cdots$　：円周率

$e = 2.7182818284\cdots$　：ネイピア数

$\sqrt{2} = 1.4142135623\cdots$　：ルート２

☆０について

$a+0=0+a=a$：０は加法の単位元

$a \times 0 = 0 \times a = 0$

$0 \div a = 0 \quad (a \neq 0)$

$a \div 0$は存在しない。　$(a \neq 0)$

$0 \div 0$はすべての数をとることができる。

☆結合法則、交換法則、分配法則

結合法則

和：$(a+b)+c=a+(b+c)$,　　積：$(ab)c=a(bc)$

交換法則

和：$a+b=b+a,$　　積：$ab=ba$

分配法則

$(a+b)c=ac+bc,$　　$a(b+c)=ab+ac$

☆体、環

和と積が定義され、四則演算ができ、結合法則や交換法則、分配法則を満たす集合と演算の組を体といい、公理から除法を除いたものを環という。

（正確な定義は、本文を参照されたい。）

$\boldsymbol{Z}$：可換環、 $\boldsymbol{Q}, \boldsymbol{R}$：可換体

☆$\boldsymbol{Z_2}=\{0, 1\}$は有限体となる。

☆群

演算が定義され、結合法則、単位元の存在、逆元の存在を満たす集合を群という。さらに、交換法則を満たすとき、可換群であるという。

（正確な定義は、本文を参照されたい。）

第2章

複素数の草原

～虚と実の数～

1．複素数の登場
～代数的な性質～

多項式と方程式の違いは？

これまで、自然数から始まって、整数、有理数、実数という数の拡張を見てきました。実数は数直線上の点として表すことができて、しかも、隙間なく詰まっています。実数は現実の世界をよく表していて、これで数はすべてそろったように思えます。

私たちの世界の数は、実数で十分なのでしょうか？

一見、実数までで十分のように思えますが、実数には数学的な弱点があります。それは、方程式が解けることもあれば、解けないこともあるということです。歴史的にも、方程式を探究し続けた結果、虚数が登場してきました。

まず、用語の説明から始めます。

$2x^3$, $-5x^2$, $4x$のように、「数」と「文字x」を掛け合わせた式を、xに関する**単項式**といい、数の部分を**係数**、掛け合わせているxの個数を**次数**といいます。今の場合、係数はそれぞれ2, −5, 4となり、次数はそれぞれ3, 2, 1となります。

また、$3x^2-7x+6$のように、単項式の和として表される数を**多項式**といいます。多項式において、その１つ１つの単項式のことを**項**といい、各項の次数のうち最大のものを、その多項式の**次数**といいます。次数がnの多項式を**n次式**といいます。

多項式を積の形に表すことを**因数分解**するといいます。たとえば、多項式x^2-5x+6は、$(x-2)(x-3)$のように因数分解することができます。

多項式x^2-5x+6は、文字xにどんな数でも代入することができます。一方、$x^2-5x+6=0$のように等式を考えると、この式を満たす文字xは、$x=2$, 3しかありません。これは左辺を因数分解した式

$$(x-2)(x-3)=0$$

を考えることで分かります。このような等式

$$x^2-5x+6=0$$

を**方程式**といいます。今の場合、左辺の多項式の次数が２であるので、２次方程式といいます。

一般に、n次方程式は、次のように表されます。

$$a_nx^n+a_{n-1}x^{n-1}+\cdots+a_2x^2+a_1x+a_0=0 \quad (a_n\neq 0)$$

虚数の導入

さて、いよいよ実数を超える「数」について、考えてみましょう。

たとえば、実数の世界だと、2次方程式

$$x^2 = -1$$

は解けません。「解なし」となります。なぜなら、実数の2乗を考えると、

$$(-1)^2 = -1 \times (-1) = 1$$

のようになり、2乗すると必ずプラス、または、0になるからです。2乗してマイナスになる実数はないので、方程式$x^2 = -1$を満たす実数は存在しないのです。

また、実数係数の多項式を考えると、因数分解できることもあれば、できないこともあります。たとえば、3次の多項式

$$x^3 - x^2 + 4x - 4$$

を因数分解すると、

$$(x-1)(x^2+4)$$

となりますが、x^2+4の方はこれ以上因数分解ができません。

このように、解けない方程式があることや因数分解できない多項式があることなど、このあたりが実数の限界なのです。

そこで、２乗すると-1になるような新しい数を導入することで、これらの弱点を克服することができます。

２乗すると-1になる数を**虚数単位**と呼び、記号iで表します。iは虚数単位を表すimaginary unitに由来します。

虚数単位iは-1のプラスの平方根を表すものとして、iのことを$\sqrt{-1}$と書くこともあります。

$$i^2=-1,\quad i=\sqrt{-1}$$

このとき、$2+3i$や$7-5i$のように

$$a+bi \qquad (a, b\text{は実数})$$

と表される数を**複素数**（complex number）といい、複素数の全体からなる集合を記号$\boldsymbol{C}$で表します。

用語の説明をすると、$a+bi$においてaを**実部**、bを**虚部**といいます。また、$b\neq 0$である複素数、つまり、実数でない複素数$a+bi$を**虚数**といい、特に、biの形の虚数を**純虚数**といいます。たとえば、次のようになります。

$3+5i, 1-4i$　　虚数
$7i, -3i, 5i$　　純虚数

虚数を導入することで、２次方程式

$$x^2=-1$$

は、$x=i, -i$と解くことができます。

また、多項式x^2+4は$(x+2i)(x-2i)$と因数分解することができるのでx^3-x^2+4x-4は、

$$x^3 - x^2 + 4x - 4 = (x-1)(x+2i)(x-2i)$$

と最後まで因数分解できるようになります。最後というのは、１次式の積として因数分解できるという意味で使っています。

このように虚数を導入し、複素数にまで数を広げることで、実数の不十分な点を補うことができ、よりエレガントな理論を構築できるようになります。

複素数の歴史

現代の視点から見ると、実数から複素数へ拡張することは、とても自然で理論的には本質的な流れに見えます。しかし、歴史的には順風満帆に複素数が導入されたわけではありません。

イタリアの数学者カルダーノは、1545年の著書『アルス・マグナ』（偉大なる技法）において３次方程式と４次方程式の解法を発表しました。この著書において、虚数の概念が世に初めて現れました。４次方程式の解法は、弟子のフェラーリが発見したものです。ただ、３次方程式の解の公式は、カルダーノが公表しないことを約束に、数学者のタルタリアから教えてもらったものであるため、タルタリアから激しく非難されました。

そのようないわれのある３次方程式の解の公式ですが、この公式を用いると、計算の途中で「負の平方根」をとる必要が出てきます。そこで虚数の概念が必要となるのです。最終的に「実数解」にたどり着く場合でも、計算途中で負の平方根が現れるのが、当時の人々には奇妙に思えました。

虚数が現れ始めた16〜17世紀のヨーロッパでは、マイナスの数ですら、あまり認められていませんでした。マイナスは実体がなく意味のない数だと思われていました。方程式を解いて、マイナスの数が出てきたときは、それを無視して、正の数だけを見ていたのです。そのような状況ですから、虚数も実在しない意味のない数だと思われていました。

虚数という用語を命名したデカルトは、否定的なニュアンスを込めてnombre imaginaire（フランス語で「想像上の数」）と名付け、これが英語のimaginary number（虚数）の語源になりました。

しかしながら、オイラーは複素数の変数を積極的に用い、複素解析学に重要な貢献をしました。虚数単位を表す記号iはオイラーが導入しました。

ドイツの数学者ガウスは学位論文で代数学の基本定理を証明したとき、虚数を巧妙に隠した証明をして発表しました。しかし、のちに、「機は熟した」と見たガウスは虚数について公表しました。

このように250年近くかけて、徐々に虚数の存在が、当時のヨーロッパで受け入れられていきます。

この項の締めくくりに、日本の数学者、岡潔の言葉を紹介しましょう。岡は「数学史を解析学の立場からみて、そこで一番大きな発見は何かというと、複素数というものの持つ性質の発見である」と述べました。そして続けて、次のように述べました。

「これが今日のように明らかになるためには、ごく主な人をあげてみてもデカルト、ニュートン、オイラー、ガウス、コーシー、これぐらいがいる。オイラー以後は、直接複素数を取扱っている。(…中略…)これをさらに完全にしたのがリーマン、ワヤーストラースの二人で、いずれも十九世紀の人である」

(出典:岡潔『岡潔　日本の心』日本図書センター)

複素数の四則演算

それでは、複素数の「数」としての性質を見ていきましょう。有理数や実数は四則演算ができましたが、ここでは複素数の四則演算について見ていきます。

複素数の加法と減法は、それぞれ実部と虚部で和・差をとります。

$$(a+bi)+(c+di)=(a+c)+(b+d)i$$
$$(a+bi)-(c+di)=(a-c)+(b-d)i$$

(a, b, c, dは実数)

以下、特に断らない限り、$a+bi$と書くとき、a, bは実数を表すものとします。

実数の場合と同様に、加法に関しては、結合法則、交換法則が成り立ち、零元は、$0=0+0i$となります。

乗法は$i^2=-1$とし、分配法則が成り立つように定めます。乗法を一般的な形で書くと次のようになります。

$$(a+bi)(c+di)=(ac-bd)+(ad+bc)i$$

乗法についても、加法と同様、結合法則や交換法則が成り立ち、加法と乗法が分配法則で結びつけられていることを確かめることができます。

それでは除法はどうでしょうか？

たとえば、$3+2i$の逆元が存在するかどうか考えてみましょう。まず、$3+2i$の逆数$\frac{1}{3+2i}$を考えます。次に、$\frac{1}{3+2i}$の分母と分子に$3-2i$をかけることで、$3+2i$の逆元を求めることができます。具体的に計算をすると、

$$\frac{1}{3+2i}=\frac{1\times(3-2i)}{(3+2i)\times(3-2i)}=\frac{3-2i}{3^2-(2i)^2}=\frac{3-2i}{13}$$

となります。$a+bi$の形で書くと、$\frac{3}{13}-\frac{2}{13}i$が$3+2i$の逆元だと分かります。実際、計算をすると、

$$(3+2i)\left(\frac{3}{13}-\frac{2}{13}i\right)=\frac{9}{13}-\frac{6}{13}i+\frac{6}{13}i-\frac{4}{13}i^2=\frac{13}{13}=1$$

となり、逆元であることを確かめることができます。

ここで注意してほしいのですが、厳密には、$\frac{1}{3+2i}$は複素数ではありません。複素数は$a+bi$の形で表される数ですから、$\frac{1}{3+2i}$は複素数ではなく、逆元を表す記号（表記）なのです。逆元を表す複素数は、$\frac{3}{13}-\frac{2}{13}i$です。$\frac{1}{3+2i}$を複素数のように思いがちですが、複素数はあくまで$a+bi$の形だ

と心に留めておくといいでしょう。定義や公理、定理をしっかり区別することが数学を学ぶときに大切な姿勢だからです。

一般に、$a+bi$の逆元は、$3+2i$の場合と同じように$\frac{1}{a+bi}$の分母と分子に$a-bi$を掛けることで求まります。

$$\frac{1}{a+bi}=\frac{1\times(a-bi)}{(a+bi)\times(a-bi)}=\frac{a-bi}{a^2+b^2}$$

$$(a^2+b^2\neq 0 \text{のとき})$$

逆元になることを確かめると、次のようになります。

$$(a+bi)\left(\frac{a}{a^2+b^2}-\frac{b}{a^2+b^2}i\right)$$

$$=\frac{a^2}{a^2+b^2}-\frac{ab}{a^2+b^2}i+\frac{ab}{a^2+b^2}i-\frac{b^2}{a+b}i^2$$

$$=\frac{a^2+b^2}{a^2+b^2}=1$$

ここで、分母が0になる場合は「存在しない」となるのですが、a^2+b^2は2乗の和になっているので、0になるのは、aとbがともに0のときだけです。

$$a^2+b^2=0 \quad \Leftrightarrow \quad a=0 \quad \text{かつ} \quad b=0$$

したがって、0でない複素数$a+bi$に対しては、必ず逆元$\frac{1}{a+bi}$が存在することが分かりました。

> 0でない複素数$a+bi$に対して逆元$\frac{1}{a+bi}$が存在して、
> $\frac{1}{a+bi}=\frac{a-bi}{a^2+b^2}$となる。

これで、複素数全体からなる集合$\boldsymbol{C}$は、四則演算ができることが分かりました。$\boldsymbol{C}$は結合法則、交換法則、分配法則なども成り立ち、体の公理を満たします。$\boldsymbol{C}$は可換体であり、$\boldsymbol{C}$を**複素数体**と呼びます。

共役の概念が現れる

一般に、複素数$\alpha = a + bi$に対して、$a - bi$をαの**共役**といい$\overline{\alpha}$と表します。

$$\overline{a+bi} = a - bi$$

αは、ギリシャ文字で「アルファ」と読みます。複素数を表すとき、ギリシャ文字のα，β，γなどをよく用います。βは「ベータ」、γは「ガンマ」と読みます。また、関数の変数として複素数を表すときは、z, x, yなどをよく用います。

実数係数の２次方程式が虚数解を持つとき、互いに共役な複素数となります。それは２次方程式$ax^2 + bx + c = 0$に対して、解の公式

$$x = \frac{-b \pm \sqrt{b^2 - 4ac}}{2a}$$

を考えると、ルートの中がマイナスのときが虚数解になるので、２つの虚数解は必ず共役の関係になることが分かります。たとえば、２次方程式

$$x^2 + x + 1 = 0$$

の解は、$\dfrac{-1+\sqrt{3}\,i}{2}$と$\dfrac{-1-\sqrt{3}\,i}{2}$であり、互いに共役な複

素数になります。

共役というのは、実数にはない複素数独自の概念です。

実数にはないというより、実数の場合、$\overline{5}=5$のように共役と自分自身が一致するので、共役という考え方が表に現れないともいえます。

共役の共役は自分自身になります。つまり、共役を2回取ると、自分自身に戻ってくるのです。

$$\overline{\overline{\alpha}} = \alpha$$

これは、$\overline{\overline{a+bi}}=\overline{a-bi}=a+bi$のように確かめることができます。日常生活でたとえると、「コインの裏の裏は表」というようなことでしょうか。興味深い性質だといえます。

共役と四則演算の関係ですが、「和、差、積、商をとってから共役をとるのと、共役をとってからそれらをとるのは等しい」という性質があります。式で書くと、次のようになります。

$$\overline{\alpha+\beta}=\overline{\alpha}+\overline{\beta}, \qquad \overline{\alpha-\beta}=\overline{\alpha}-\overline{\beta}$$

$$\overline{\alpha\cdot\beta}=\overline{\alpha}\cdot\overline{\beta}, \qquad \overline{\left(\frac{\alpha}{\beta}\right)}=\frac{\overline{\alpha}}{\overline{\beta}} \quad (\beta \neq 0)$$

また、互いに共役な複素数どうしを掛けると、虚数が消えて実数になります。たとえば、

$$(3+i)(3-i)=3^2-i^2=9+1=10$$

のようになります。一般には、

$$(a+bi)(a-bi)=a^2-(bi)^2=a^2+b^2$$

となり、０以上の実数になることが分かります。

複素数$\alpha=a+bi$に対して、$\sqrt{a^2+b^2}$を複素数の**大きさ**といい、$|\alpha|$と表します。

$$|\alpha|=\sqrt{a^2+b^2}$$：複素数αの大きさ

たとえば、$|2+5i|=\sqrt{2^2+5^2}=\sqrt{29}$となります。実数のときは、

$$|-3|=\sqrt{(-3)^2}=\sqrt{9}=3$$

のように、絶対値と一致します。したがって、複素数の大きさは、実数の絶対値の拡張になっていることが分かります。

複素数の大きさは、積で保たれます。

$$|\alpha\beta|=|\alpha|\cdot|\beta|$$

これは、$\alpha=a+bi$，$\beta=c+di$とおいて、左辺と右辺の２乗を別々に計算することで示すことができます。

また、複素数αの大きさ$|\alpha|$や逆元α^{-1}を共役の記号を用いて表すと、次のようにシンプルに表記できます。

大きさ：$|\alpha|=\sqrt{\alpha\overline{\alpha}}$　　積の逆元：$\alpha^{-1}=\dfrac{\overline{\alpha}}{\alpha\overline{\alpha}}$

実数のときは見えにくかった共役という概念が、複素数に拡張することではっきりと見えてきました。

これまで見てきたように、複素数は四則演算ができ、結合

法則、交換法則、分配法則などが成り立ちます。また、大きさが定まり、実数のときにはなかった共役の考え方も現れます。これらは複素数の「数としての性質」といえます。

複素数を代数的に構成する

これまで見てきたように、複素数は実数を拡張した数だと考えられます。ところが、$x^2=-1$の解をiと定義したことから

「虚数は存在するのか？」

という哲学的な疑問に陥りやすく、また虚数というネーミングもあり、複素数は実体のない空想上の数のような誤解を招きやすいといえます。

そこでそのような誤解を受けにくいような、実数から複素数を代数的に構成する方法を説明します。

まず、実数$a,\ b$の組$(a,\ b)$を考えます。これは平面上の座標と考えるといいでしょう。次に、実数の組$(a,\ b)$, $(c,\ d)$に対して、和と積を定義します。

和はそれぞれの成分どうしの和として定めます。

和：$(a, b)+(c, d)=(a+c, b+d)$

積は次のように定めます。

積：$(a, b)(c, d)=(ac-bd, ad+bc)$

積の定義は、複素数の積

$$(a+bi)(c+di)=ac-bd+(ad+bc)i$$

をモチーフにしています。

このように和と積を定めることで、実数の組$(a,\ b)$の全体は四則演算ができ、結合法則、交換法則、分配法則などが成り立つことを確かめることができます。

ここで、$(r, 0)$の形をした組の和と積を考えると、

$$和：(r, 0)+(r', 0)=(r+r', 0)$$
$$積：(r, 0)(r', 0)=(rr', 0)$$

となるので、$(r, 0)$と実数rを同一視することができます。

$$同一視：r \longleftrightarrow (r, 0)$$

「同一視する」とは、rと$(r,\ 0)$を対応させて、同じ対象のようにみなす、ということを意味します。つまり、$(r,\ 0)$を実数rとみなすという意味です。

このように考えることで、実数の組$(a,\ b)$の全体は、実数全体の集合$\boldsymbol{R}$を含むより大きな数の集合とみなすことができます。すなわち、「実数を拡張した数(a, b)が定義できた」と考えることができるのです。

このとき、$(0, 1)$の２乗を計算すると、

$$(0, 1)^2=(0, 1)(0, 1)=(0-1, 0+0)=(-1, 0) \longleftrightarrow -1$$

となります。$(0,\ 1)$は２乗すると-1になる数を表しているのです。すなわち、$(0,\ 1)$は２次方程式$x^2=-1$の解となり

ます。

また、結合法則、交換法則、分配法則が成り立つことを示すことができます。まとめると、次のようになります。

いま構成した実数の組$(a,\ b)$は、実数を拡張した数となっており、２乗すると-1になる数$(0, 1)$を含む。
さらに、組$(a,\ b)$の全体からなる集合は、四則演算ができ、結合法則、交換法則、分配法則などが成り立つ。

これらのことから、実数の組$(a,\ b)$を複素数と定めることができます。具体的には、次のように対応することが分かります。

$$\text{同一視}:(a, b)\longleftrightarrow a+bi$$

いま、実数から出発して、実数の組と四則演算だけで、新しい数$(a,\ b)$を構成したので、このような構成を代数的な構成といいます。

この構成法だと$(0,\ 1)$がiを表しており、純粋に代数的な対象として定まっています。それゆえに、「虚数は存在するのか？」という哲学的な疑問が入り込む余地がないという利点があります。

これは最初に、アイルランドの数学者ハミルトンが考えた構成法です。ハミルトンはこのように平面上の点として複素数を捉えたのです。そして、次にその拡張として、３次元空間上の点を表すような新しい数を定義しようと試行錯誤したのでした。ハミルトンについては、また後で述べることとします。

現代では、このようなプロセスで新しい数を作る操作を**複素化**といいます。

一般に、可換体Kに対して、複素化を考えることができます。構成方法は先ほどと同じで、Kに属する数a, bの組(a, b)の全体からなる集合をK^Cとし、K^Cにおいて、和と積を次のように定めます。

和：$(a, b)+(c, d)=(a+c, b+d)$
積：$(a, b)(c, d)=(ac-bd, ad+bc)$

このように定められた、K^CをKの複素化といいます。

先ほどの場合は、$K=\boldsymbol{R}$として、複素化$\boldsymbol{R}^C$を考えることで、$\boldsymbol{R}^C=\boldsymbol{C}$となり、複素数を構成することができたのです。

$\boldsymbol{R}^C=\boldsymbol{C}$の場合は、（０で割ることを除いて）除法で閉じていますが、一般のK^Cの場合は、除法で閉じているとは限りません。つまり、一般の複素化K^Cでは、逆元の存在がいえるとは限らないのです。

代数学の基本定理

$P(x)$を多項式とします。ここでは、「方程式$P(x)=0$を解くこと」と「多項式$P(x)$を因数分解すること」の関係から見ていきます。

たとえば、方程式$x^2+9=0$は実数の範囲では解が存在しません。また、もとの多項式x^2+9は実数の範囲ではこれ以上因数分解できません。

ところが、複素数の範囲で考えると、方程式$x^2+9=0$は解$x=\pm 3i$を持ち、もとの多項式x^2+9は複素数の範囲で

$$x^2+9=(x+3i)(x-3i)$$

と因数分解できます。

一般に、次の定理が成り立ちます。

定理（因数定理）

$P(x)$を多項式とする。方程式$P(x)=0$が$x=\alpha$を解に持つとき、$P(x)=(x-\alpha)Q(x)$と因数分解できる。

このとき、$P(x)$が実数係数の多項式で、αが実数のとき、$Q(x)$も実数係数となり、$P(x)$が複素数係数の多項式で、αが複素数のとき、$Q(x)$も複素数係数となる。

証明は割愛します。因数定理により、多項式の場合は、方程式を解くこととともとの多項式が因数分解できることは、ある意味同じことを別の側面から表現していることが分かります。

実はこの定理は、可換体Kに対して証明することができます。そうすると、有理数体$\boldsymbol{Q}$、実数体$\boldsymbol{R}$、複素数体$\boldsymbol{C}$の場合に、別々に証明をする必要がなく統一的に扱えます。それが「可換体」という概念を考える有効性の１つだといえます（因数定理は一般の可換環に対しては成り立ちませんが、整数環$\boldsymbol{Z}$に対しては成り立ちます）。

２次方程式の場合をもう少し詳しく見てみましょう。実数係数の２次方程式$ax^2+bx+c=0$が異なる２つの実数解$x=\alpha,$

βを持つとすると、

$$ax^2+bx+c=a(x-\alpha)(x-\beta)$$

と因数分解できます。

ここで$\alpha=\beta$のとき、つまりもとの多項式が$ax^2+bx+c=a(x-\alpha)^2$と因数分解できるとき、方程式$a(x-\alpha)^2=0$の解$x=\alpha$を**重解**といいます。このとき、

$$a(x-\alpha)(x-\alpha)=0$$

と考えることで、この２次方程式は$x=\alpha$，αと重複を込めて２つの解を持つと解釈することができます。

２次方程式$ax^2+bx+c=0$が虚数解のときは、実数の範囲では解は存在せず、もとの多項式ax^2+bx+cは実数の範囲では因数分解できません。

このように考えると、実数の範囲で２次方程式を考えた場合、

「異なる２つの実数解を持つ」
「重解を持つ」
「実数解は存在しない」

の３つの場合が出てきます。

しかし、複素数の範囲で考えると、

「すべての２次方程式は重複を込めて２つの複素数解を持つ」

というエレガントな形で表現できます。

この事実は、一般のn次方程式で成り立ちます。正確には、次のように表現されます。

定理(代数学の基本定理)

すべての複素数係数のn次方程式は重複を込めてn個の複素数解を持つ。

これを「代数学の基本定理」といい、ガウスによって完全に証明されました。

この定理に、因数定理を適用すると、一般のn次多項式は、

$$a(x-\alpha_1)(x-\alpha_2)(x-\alpha_3)\cdots(x-\alpha_n)$$

のように、1次式$x-\alpha_i$のn個の積に分解されることが分かります。このことから、代数学の基本定理は、次のように表現することもできます。

定理

すべての複素数係数の多項式は、複素数の範囲で(必ず)1次式の積に分解できる。

数の範囲を実数から複素数まで広げることで、このような完全な形で、方程式の解や因数分解の理論を定式化することができます。これは理論的にとても美しい結果だといえます。そして、これが実数と複素数の決定的な違いだといえます。

このようなことから、複素数は実数より奥が深い「本質的な数」だといえるのです。

数学者の高木貞治は、著書『代数学講義 改訂新版』(共立

出版）において、次のように述べました。

「実数のみに関する問題においても、それを複素数の立場から考察すると、明瞭に解決される場合が多い。
　これは次元の拡張であって、あたかも上空から見おろすと、地上の光景が明確に観取されるようなものである」

ここまでのまとめ

☆0でない複素数$\alpha=a+bi$に対して逆元$\alpha^{-1}=\dfrac{1}{a+bi}$が存在して、$\dfrac{1}{a+bi}=\dfrac{a-bi}{a^2+b^2}$となる。

☆複素数全体からなる集合Cは、四則演算で閉じている。

（ただし、0で割ることは除く）

☆Cは体の公理を満たし可換体となる。Cを複素数体と呼ぶ。

☆大きさ

複素数$\alpha=a+bi$に対して、

$|\alpha|=\sqrt{\alpha\overline{\alpha}}=\sqrt{a^2+b^2}$

☆共役

複素数$\alpha=a+bi$に対して、$\overline{\alpha}=a-bi$をαの共役という。

$\overline{a+bi}=a-bi$

$\overline{\alpha+\beta}=\overline{\alpha}+\overline{\beta}$,　　$\overline{\alpha-\beta}=\overline{\alpha}-\overline{\beta}$

$\overline{\alpha\cdot\beta}=\overline{\alpha}\cdot\overline{\beta}$,　　$\overline{\left(\dfrac{\alpha}{\beta}\right)}=\dfrac{\overline{\alpha}}{\overline{\beta}}$ （$\beta\neq0$）

☆代数学の基本定理

すべての複素数係数のn次方程式は重複を込めてn個の複素数解を持つ。

第3章

複素数の庭園

～複素平面に生息する数学～

1. 複素数の理論を支える数学
～三角関数、ベクトル～

複素数の回転を考える際、三角関数やベクトルを用いますので、その基本的な性質について説明します。

弧度法

角の大きさは、1周を360°と定める「度数法」が一般に使われますが、それとは別の表し方として、ここでは「半径」と「弧」の比で角の大きさを表す「弧度法」について説明します。

いま、角の大きさθを円の半径と弧の長さの比として、

$$\theta = \frac{(\text{弧の長さ})}{(\text{半径})}$$

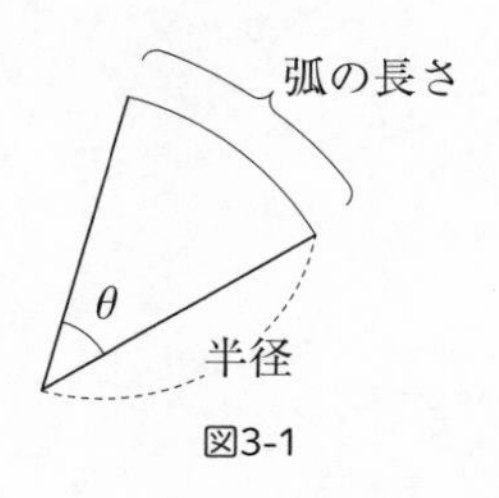

図3-1

と定めます。θはギリシャ文字で「シータ」と読みます。

このように角の大きさを表す方法を**弧度法**といいます。これは、半径の大きさによらずに定まります。たとえば、半径rの円を考えると、円周の長さは$2\pi r$なので、360°を弧度法で表すと、$\frac{2\pi r}{r}=2\pi$になります。通常、弧度法は単位をつけませんが、明示するときは**ラジアン**を使います。つまり、360°は2πラジアンになります。他にも、180°を弧度法で表すと$\frac{\pi r}{r}=\pi$、90°を弧度法で表すと$\frac{\pi r}{2r}=\frac{\pi}{2}$となります。

度数法と弧度法の対応をいくつか図3-2に挙げておきます。

度数	0°	30°	45°	60°	90°	180°	270°	360°
弧度	0	$\frac{\pi}{6}$	$\frac{\pi}{4}$	$\frac{\pi}{3}$	$\frac{\pi}{2}$	π	$\frac{3}{2}\pi$	2π

図3-2

三角関数の定義

図3-3のように、原点を中心とする半径rの円周上に点$P(x, y)$をとり、x軸の正の部分から線分OPまでの角をθとします。

このとき、

$$\frac{y}{r},\quad \frac{x}{r},\quad \frac{y}{x}$$

の値は、半径rに関係なく、θによってのみ決まります。そこで、

$$\sin\theta = \frac{y}{r}, \qquad \cos\theta = \frac{x}{r}, \qquad \tan\theta = \frac{y}{x}$$

と定義し、それぞれ、θ の**正弦**、**余弦**、**正接**といいます。$\sin\theta$, $\cos\theta$, $\tan\theta$ はそれぞれ、サインシータ、コサインシータ、タンジェントシータと読みます。

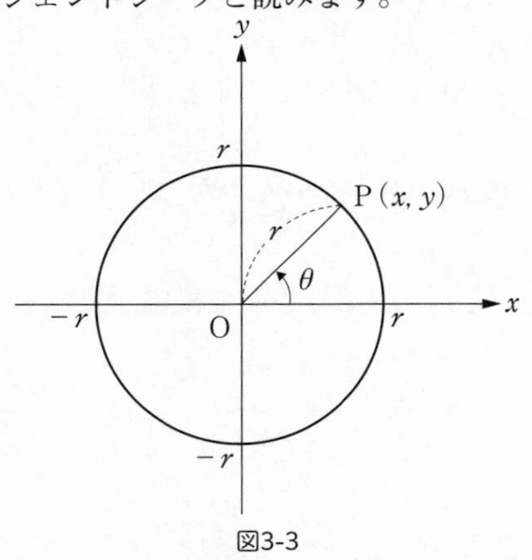

図3-3

$\tan\theta$ は、θ が90°や270°のように、xの値が0となるような θ の値に対しては、定義されません。$\sin\theta$, $\cos\theta$, $\tan\theta$ を θ の**三角関数**といいます。

$0° < \theta < 90°$ のときは、直角三角形を用いて、定義することもできます。図3-4のように、角Cが90°の直角三角形に対して、辺の長さAB, AC, BCの比として、

$$\sin\theta = \frac{\mathrm{BC}}{\mathrm{AB}}, \qquad \cos\theta = \frac{\mathrm{AC}}{\mathrm{AB}}, \qquad \tan\theta = \frac{\mathrm{BC}}{\mathrm{AC}}$$

と定め、θ の**正弦**、**余弦**、**正接**といいます。このとき、

$\sin\theta$, $\cos\theta$, $\tan\theta$ を**三角比**といいます。

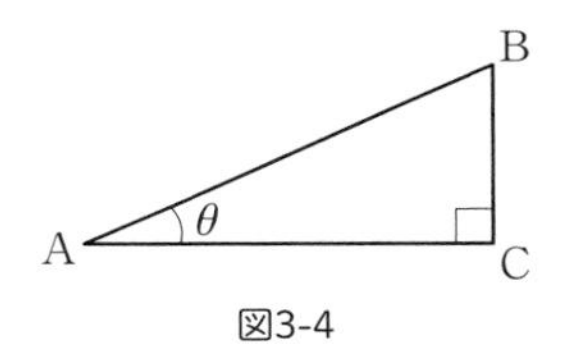

図3-4

$0^\circ < \theta < 90^\circ$ のとき、この定義は、先ほどの円周を用いた定義と一致します。直角三角形から三角比を考えた方が、直観的で分かりやすいこともあります。

30°, 45°, 60° などの代表的な角度の正弦、余弦については、図3-5上のような単位円の図を考えると、求めやすくなります。この図で、単位円上の点からy軸に垂線を下ろしたときの値がサイン、x軸に垂線を下ろしたときの値がコサインとなります。

たとえば、30°, 90°, 240° の場合はそれぞれ、

$$\sin 30^\circ = \frac{1}{2}, \qquad \cos 30^\circ = \frac{\sqrt{3}}{2}$$

$$\sin 90^\circ = 1, \qquad \cos 90^\circ = 0$$

$$\sin 240^\circ = -\frac{\sqrt{3}}{2}, \qquad \cos 240^\circ = -\frac{1}{2}$$

となります。

タンジェントは線分の傾きとなります（図3-5下）。30°, 45°, 60° の傾きはそれぞれ $\frac{1}{\sqrt{3}}, 1, \sqrt{3}$ となるので、

$$\tan 30^\circ = \frac{1}{\sqrt{3}}, \qquad \tan 45^\circ = 1, \qquad \tan 60^\circ = \sqrt{3}$$

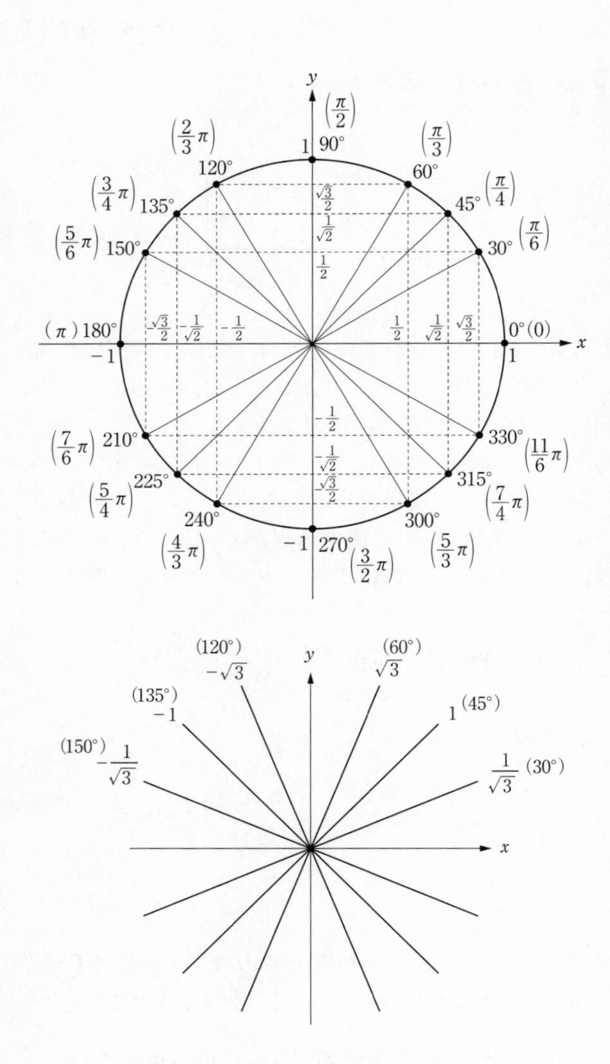

図3-5　代表的な正弦と余弦、正接の値

となります。330°のタンジェントを求めたいときは、30°の場合の傾きにマイナスをつければよいので、

$$\tan 330^\circ = -\frac{1}{\sqrt{3}}$$

となります。言葉で説明するより、図を見れば一目瞭然です。

ベクトル

複素数を平面上の点と対応させるとき、ベクトルの考え方を知っておくとイメージしやすくなります。そこで、ここではベクトルの基本事項について述べます。

図3-6のように矢印で表される線分ABを、Aを**始点**、Bを**終点**とする**有向線分**といいます。

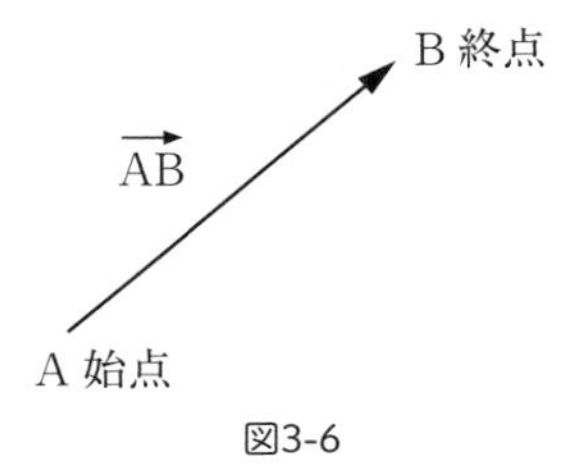

図3-6

有向線分で、向きと大きさだけを考えて、位置を考えないとき、これを**ベクトル**といいます。有向線分ABで表されるベクトルを$\overrightarrow{AB}$と表します。$\vec{a}$のように表すこともあります。

図3-7のように、２つのベクトルの向きと大きさが等しいとき、この２つのベクトルは等しいといいます。

ベクトル$\overrightarrow{AB}$に対して、線分ABの長さを、ベクトル$\overrightarrow{AB}$の

大きさといい、$|\overrightarrow{\mathrm{AB}}|$で表します。

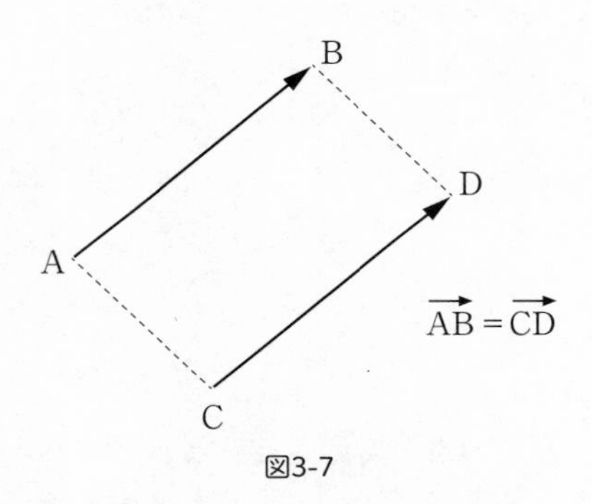

図3-7

1点Aのみの場合、記号で書くと$\overrightarrow{\mathrm{AA}}$となりますが、これは大きさが0のベクトルとみなします。これを**零ベクトル**とい

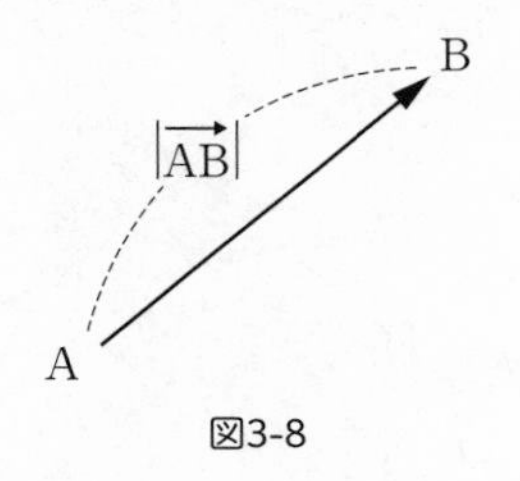

図3-8

い、$\vec{0}$と表します。

2つのベクトル$\vec{a}$, $\vec{b}$の和を考えます。点Aを定め、

$$\vec{a}=\overrightarrow{\mathrm{AB}}, \qquad \vec{b}=\overrightarrow{\mathrm{BC}}$$

となるように、点B, Cをとり、$\overrightarrow{\mathrm{AC}}$をベクトル$\vec{a}$, $\vec{b}$の和$\vec{a}+\vec{b}$と定めます。

$$\vec{a}+\vec{b}=\overrightarrow{AC}$$

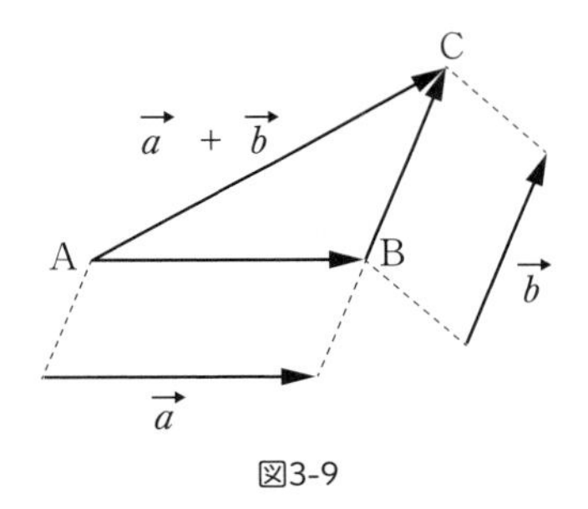

図3-9

原点をOとする座標平面上で、点A$(a_1,\ a_2)$に対して、ベクトル$\overrightarrow{OA}$を、点Aの座標を用いて$\overrightarrow{OA}=(a_1, a_2)$と表します。

このとき、a_1, a_2をベクトル$\overrightarrow{OA}$の**成分**といい、a_1を$\overrightarrow{OA}$のx成分、a_2を$\overrightarrow{OA}$のy成分といいます。

$\vec{a}=(a_1, a_2)$に対して、その大きさは、

$$|\vec{a}|=\sqrt{{a_1}^2+{a_2}^2}$$

となります。これは点Aがx軸上やy軸上にないときは、斜辺がOAの直角三角形を考えて、三平方の定理$OA^2={a_1}^2+{a_2}^2$から$OA=\sqrt{{a_1}^2+{a_2}^2}$と導くことができます。また、点Aが$x$軸上や$y$軸上にあるときも成り立ちます。

たとえば、$\vec{a}=(1, 2)$のとき、大きさ$|\vec{a}|$は

$$|\vec{a}|=\sqrt{1^2+2^2}=\sqrt{5}$$

となります。

$\vec{0}$でない２つのベクトル

$$\vec{a}=\overrightarrow{OA},\qquad \vec{b}=\overrightarrow{OB}$$

に対して、∠AOBの大きさθで、$0 \leqq \theta \leqq 180°$の方を、２つのベクトル$\vec{a}, \vec{b}$の**なす角**といいます。

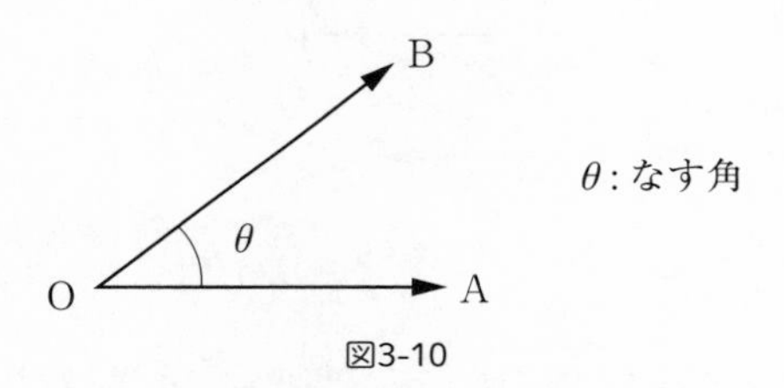

図3-10

ベクトル$\vec{a}, \vec{b}$のなす角がθのとき、

$$|\vec{a}|\ |\vec{b}|\cos\theta$$

を$\vec{a}, \vec{b}$の**内積**といい$\vec{a}\cdot\vec{b}$と表します。$\vec{a}=\vec{0}$または$\vec{b}=\vec{0}$のときは、$\vec{a}\cdot\vec{b}=0$と定めます。

２つのベクトル$\vec{a}, \vec{b}$に対して、その内積$\vec{a}\cdot\vec{b}$は、ベクトルではなく実数であることに注意してください。

> **内積の定義**
> $\vec{a}\cdot\vec{b}=|\vec{a}|\ |\vec{b}|\cos\theta$

内積の定義を図形的に考えてみます。点Bから直線OAに垂線BA′を下ろします。このとき、図3-11のように$0° \leqq \theta < 90°$のときは$\vec{a}\cdot\vec{b}=\mathrm{OA'}\times\mathrm{OA}$、$90° < \theta \leqq 180°$のときは$\vec{a}\cdot\vec{b}=-\mathrm{OA'}\times\mathrm{OA}$となります。

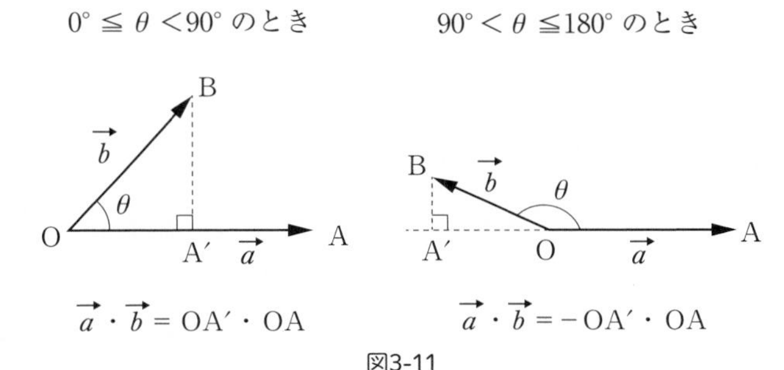

図3-11

$\theta=90°$ のときは、$\cos 90°=0$ですから、内積は０となります。つまり、内積が０となるのは、$\vec{a}=\vec{0}$または$\vec{b}=\vec{0}$または$\theta=90°$ のときとなります。このことから、次のことが分かります。

$\vec{a}\neq\vec{0},\ \vec{b}\neq\vec{0}$のとき、
$\vec{a}\perp\vec{b} \iff \vec{a}\cdot\vec{b}=0$

$\vec{a}\perp\vec{b}$は、「ベクトル$\vec{a}$と$\vec{b}$が垂直である」ことを表す記号です。つまり、０でないベクトル$\vec{a},\ \vec{b}$が垂直かどうかは、その内積を調べることで分かるのです。

内積は成分で表すこともでき、次のようになります。

$\vec{a}=(a_1,\ a_2),\ \vec{b}=(b_1,\ b_2)$のとき、
$\vec{a}\cdot\vec{b}=a_1b_1+a_2b_2$

証明は割愛します。この公式により、角の大きさが分から

ないときでも、ベクトルの成分が分かっていれば、内積を求めることができます。

直交座標と極座標

通常、平面上の点を表すには$P(x, y)$のようにx座標とy座標の組で考えます。このような表示方法を「直交座標」といいます。これとは別に「極座標」と呼ばれる表示方法もあります。ここでは、極座標について説明しましょう。

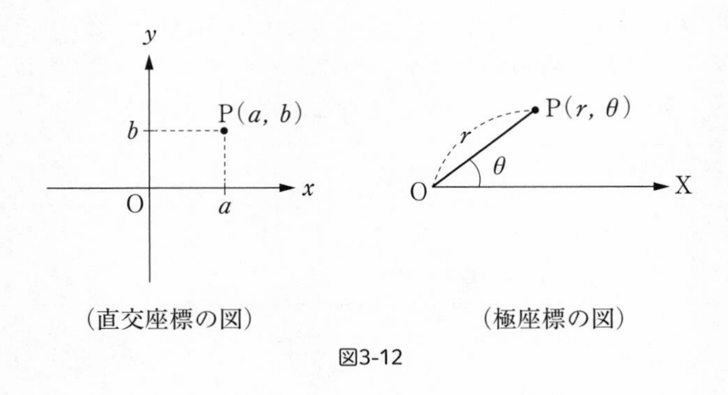

（直交座標の図）　（極座標の図）

図3-12

平面上に１点Oと半直線OXを考え、点PとOの長さをr、半直線OXからOPまでの角度をθとします。このとき、点Pの座標をrとθの組(r, θ)で表し、これを点Pの**極座標**といいます。θは、$0° \leqq \theta < 360°$の範囲で１つに定まります。ただし、$r=0$のとき、すなわち点Pが原点のときは、θは１つに定まりません。

点Oを**極**、半直線OXを**始線**と呼びます。通常は、直交座標の原点を極、x軸の正の部分を始線にとります。

原点でない点Pの直交座標を$(a,\ b)$、極座標を$(r,\ \theta)$とすると、次の関係式が成り立ちます。

$$\begin{cases} a = r\cos\theta \\ b = r\sin\theta \end{cases} \iff \begin{cases} r = \sqrt{a^2 + b^2} \\ \sin\theta = \dfrac{b}{r},\ \cos\theta = \dfrac{a}{r} \end{cases}$$

この関係式は、$r\sin\theta = b,\ r\cos\theta = a$とすると、点Pが原点の場合も成り立ちます。

2. 複素平面上で考える
〜複素数による回転〜

複素平面

三角関数、ベクトル、極座標などの準備が整いましたので、複素平面を定義し、複素数を幾何学的に眺めてみましょう。

複素数の代数的な構成法では、$a+bi$ に対して、平面上の点 (a, b) を対応させるという考え方をしました。

同一視：$a+bi \longleftrightarrow (a, b)$

このように、複素数を平面の点と考えるとき、その平面を**複素平面**、または、**ガウス平面**といいます。この呼び方は複素数を図示できるようにした数学者ガウスに由来しています。このとき、x 軸のことを**実軸**（real axis）といい、y 軸のことを**虚軸**（imaginary axis）といいます。x 軸をRe、y 軸をImと表すこともあります。

たとえば、複素数を複素平面上の点で表すと、

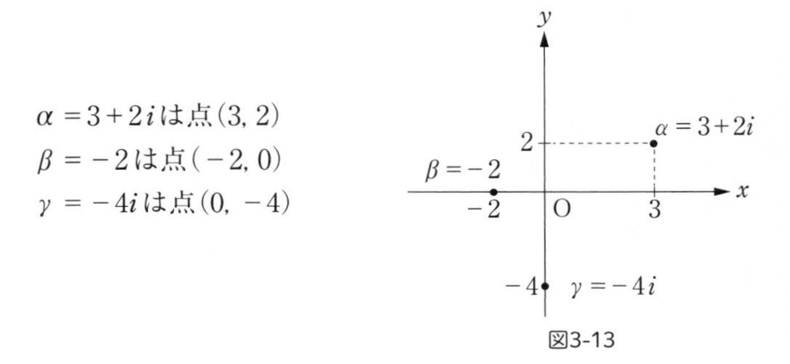

図3-13

となります。

複素平面上で、実数は実軸（x軸）上に、純虚数は虚軸（y軸）上にあることが分かります。複素数$z=a+bi$に対して、対応する複素平面上の点PをP$(a+bi)$と表します。

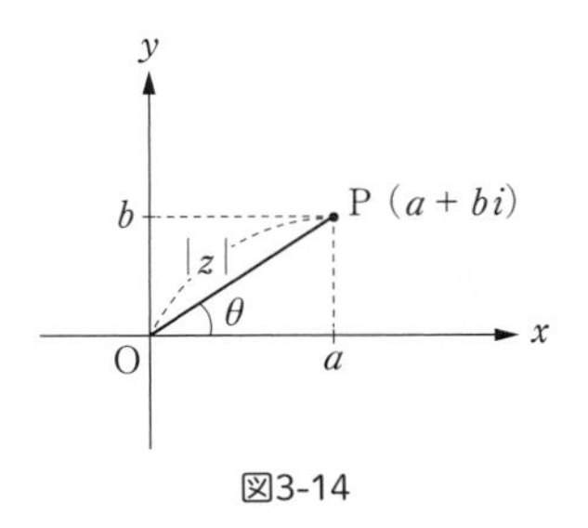

図3-14

このとき、複素数の大きさ$|z|=\sqrt{a^2+b^2}$は、点Pと原点Oの距離を表しています。$z=0$のときは、原点に対応しており、大きさは0です。

$r=|z|$を複素数zの大きさ、θを線分OPと実軸の正の向きとのなす角とするとき、極座標の考え方から$a=r\cos\theta$，$b=r\sin\theta$と表されるので、

$$z = a + bi = r\cos\theta + ir\sin\theta$$

となり、rでくくることで、

$$z = r(\cos\theta + i\sin\theta) \qquad (r > 0)$$

と表示されます。これを複素数zの**極形式**といいます。θをzの**偏角**といい$\arg z$（アーギュメント・ゼット）で表します。

極座標のときと同様、θは$0° \leqq \theta < 360°$の範囲で１つに定まりますが、$r=0$のときは、θは１つに定まりません。

特に、大きさが１の複素数は、

$$z = \cos\theta + i\sin\theta$$

と表されます。

複素平面上で考えると、共役の意味が明確になります。$z = a + bi$の共役$\bar{z} = a - bi$は複素平面上で、実軸に関して折り返した点であることが分かります。

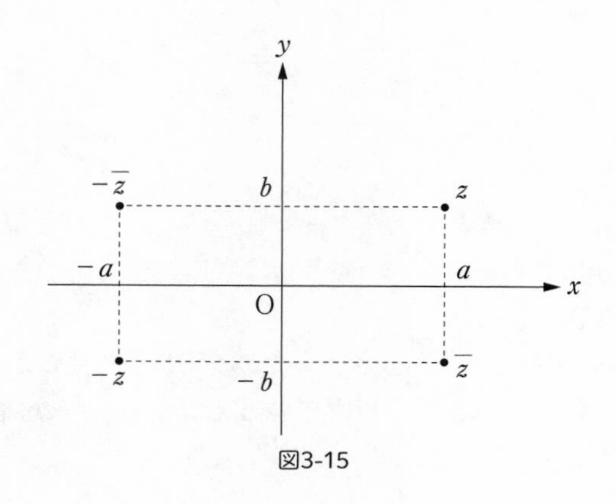

図3-15

すなわち、共役をとるという操作は、幾何学的には実軸に関する対称移動を表しているのです。

それでは、虚軸に関する対称移動はないのでしょうか。点$(a,\ b)$を虚軸に関して対称移動した点は$(-a,\ b)$です。複素数では$-a+bi$となります。これは、

$$-\overline{z}=-(a-bi)=-a+bi$$

となることから、$-\overline{z}$で表されます。すなわち、共役をとり、マイナスを掛ける操作が、虚軸に関する対称移動を表していることが分かります。原点に関する対称移動は、$(a,\ b)$から$(-a,\ -b)$への対応になるので、$-z=-a-bi$であることから、マイナスを掛ける操作となります。まとめると、次のようになります。

$z=a+bi$を複素数とする。
$\overline{z}=a-bi$：実軸に関する対称移動
$-\overline{z}=-a+bi$：虚軸に関する対称移動
$-z=-a-bi$：原点に関する対称移動

これらのように、複素数の「共役をとる」「マイナスを掛ける」という操作は、複素平面上で対称移動を表していることが分かります。

実数の全体は数直線で表されるので、あまり図形的なイメージがわかないかもしれませんが、複素数の全体は平面を表しているので、幾何学的な側面が現れてくるのです。

複素数の和

複素数の和についても、複素平面で考えると視覚的になります。複素数$\alpha = a + bi$, $\beta = c + di$に対応する複素平面上の点をA, Bとして、ベクトル$\overrightarrow{\mathrm{OA}}$, $\overrightarrow{\mathrm{OB}}$を考えます。つまり、次のような対応となります。

$$\alpha = a + bi \iff \overrightarrow{\mathrm{OA}} = (a, b)$$
$$\beta = c + di \iff \overrightarrow{\mathrm{OB}} = (c, d)$$

このとき、複素数の和$\alpha + \beta$をとると、

$$\alpha + \beta = a + c + (b + d)i$$

となり、ベクトルの和

$$\overrightarrow{\mathrm{OA}} + \overrightarrow{\mathrm{OB}} = (a + c, b + d)$$

と対応しています。すなわち、複素数の和は対応するベクトルの和そのものなのです。

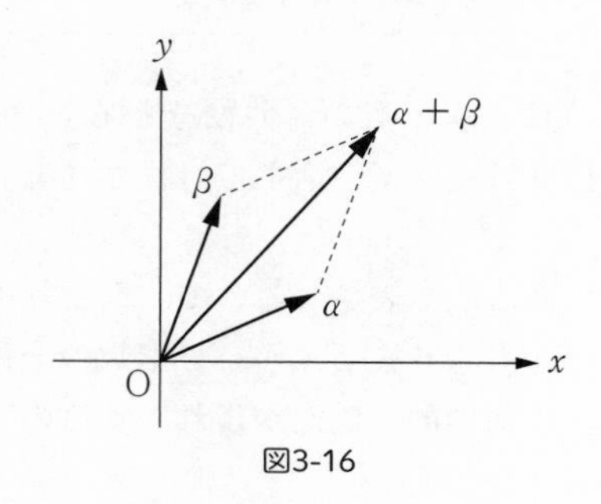

図3-16

また、複素数$\alpha=a+bi,\ \beta=c+di$に対して、内積を

$$(\alpha,\ \beta)=ac+bd$$

と定めます。これは、ベクトル$\overrightarrow{\mathrm{OA}}=(a,\ b),\ \overrightarrow{\mathrm{OB}}=(c,\ d)$の内積に対応しています。

これらのように、複素平面上で複素数を扱うとき、ベクトルとの類似性があるため、ベクトルをイメージすると理解に役立ちます。

複素数を用いた平面の回転

ここでは、いよいよ複素数を用いた平面上の点の回転を考えていきましょう。

最初に、「iを掛けるという操作」から考えます。1にiを掛けるとiになります。iにiを掛けると$i\times i=-1$となり、さらに、-1にiを掛けると$-i$です。最後に、$-i$にiを掛けると1となり元に戻ります。式で書くと次のようになります。

$$1\times i=i,\qquad i\times i=-1,\qquad -1\times i=-i,\qquad -i\times i=1$$

これを複素平面上で考えると90°の回転を表していることが分かります。

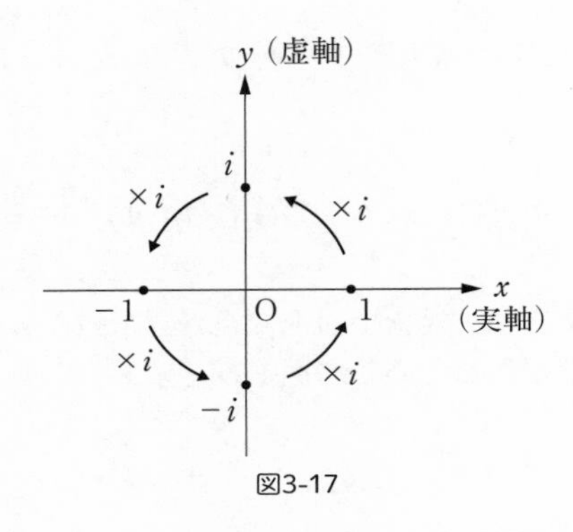

図3-17

実際、複素数$a+bi$にiを掛けると、

$$(a+bi)\times i=-b+ai$$

となるので、複素平面上では、$(a,\ b)$を$(-b,\ a)$に移す変換になっていて、90°の回転を表していることが分かります。

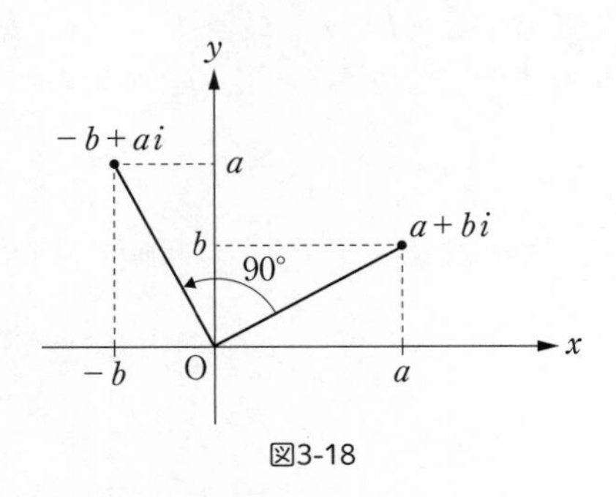

図3-18

すなわち、次のことが分かりました。

iを掛けるという操作は、複素平面上では90°回転を表す。

一般に、複素数zに対して、大きさが１の複素数$\cos\theta+i\sin\theta$を掛けた$z'=(\cos\theta+i\sin\theta)z$は、もとの$z$を複素平面上で$\theta$回転した複素数を表します。

大きさが１の複素数$\cos\theta+i\sin\theta$を掛けるという操作は、複素平面上のθ回転を表す。

この事実は次項で証明します。ここでは具体的な例で見ていきましょう。

たとえば、xy平面上の点$(1, 1)$を$30°$回転させてみます。

xy平面上の点$(1, 1)$は複素平面上の複素数で表すと、$z=1+i$となります。一方、$\cos 30°+i\sin 30°=\frac{\sqrt{3}}{2}+\frac{1}{2}i$となるので、

$$z'=(\cos 30°+i\sin 30°)z=\left(\frac{\sqrt{3}}{2}+\frac{1}{2}i\right)(1+i)$$

$$=\left(\frac{\sqrt{3}}{2}-\frac{1}{2}\right)+\left(\frac{1}{2}+\frac{\sqrt{3}}{2}\right)i$$

となります。よって、点$(1, 1)$を$30°$回転させた点は、

$$\left(\frac{-1+\sqrt{3}}{2}, \frac{1+\sqrt{3}}{2}\right)$$

となります。

このように、複素数を用いて平面上の回転を表すことができるのです。

複素数を用いた平面の回転（証明）

この項では、大きさが1の複素数$\cos\theta+i\sin\theta$を掛けるという操作が複素平面上のθ回転を表すことを証明します。

$z=a+bi$とおいて、$z'=(\cos\theta+i\sin\theta)z$を計算すると、

$$\begin{aligned} z' &= (\cos\theta+i\sin\theta)z=(\cos\theta+i\sin\theta)(a+bi) \\ &= a\cos\theta-b\sin\theta+(a\sin\theta+b\cos\theta)i \end{aligned}$$

となります。

ここで、zを複素平面上でθ回転させた点がz'であることを証明します。

図3-19のように、複素数$z=a+bi$と対応する複素平面上の点をPとし、Pをθ回転させた点をQ, Pを90°回転させた点をRとします。また、$\overrightarrow{OQ}$を$\overrightarrow{OP}$に正射影したベクトルを$\overrightarrow{OP'}$とします。

$\overrightarrow{OQ}=\overrightarrow{OP'}+\overrightarrow{P'Q}$として、$\overrightarrow{OP'}$, $\overrightarrow{P'Q}$をそれぞれ$\overrightarrow{OP}$, $\overrightarrow{OR}$で表します。（以後、$|\overrightarrow{OP}|$を単に$|OP|$と書くこともあります）

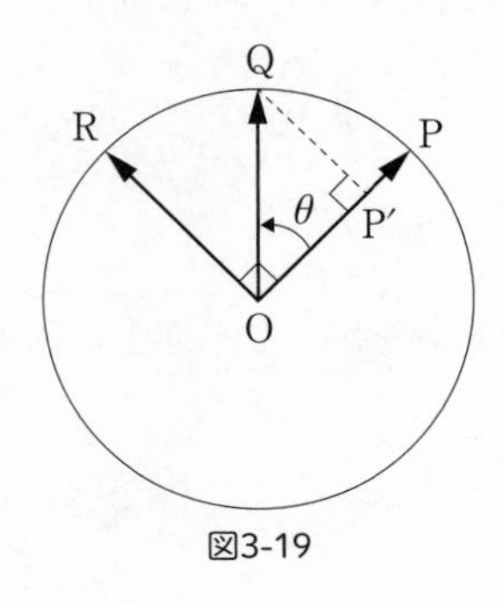

図3-19

直角三角形OP′Qに対して$\cos\theta$を考えると、$\cos\theta=\dfrac{\mathrm{OP'}}{\mathrm{OQ}}$となるので、

$$\mathrm{OP'}=\mathrm{OQ}\cos\theta$$

となります。また、ベクトル$\overrightarrow{\mathrm{OP}}$を大きさ$|\mathrm{OP}|$で割ったベクトル$\dfrac{\overrightarrow{\mathrm{OP}}}{|\mathrm{OP}|}$は、$\overrightarrow{\mathrm{OP}}$と同じ方向で、長さが１のベクトルを表すので、ベクトル

$$|\mathrm{OP'}|\cdot\frac{\overrightarrow{\mathrm{OP}}}{|\mathrm{OP}|}$$

は、$\overrightarrow{\mathrm{OP}}$と同じ方向で、長さが$|\mathrm{OP'}|$のベクトルを表します。ゆえに、ベクトル$\overrightarrow{\mathrm{OP'}}$は、次のようになります。

$$\overrightarrow{\mathrm{OP'}}=|\mathrm{OQ}|\cos\theta\cdot\frac{\overrightarrow{\mathrm{OP}}}{|\mathrm{OP}|}=(\cos\theta)\overrightarrow{\mathrm{OP}}$$

同様の考え方で、

$$\overrightarrow{\mathrm{P'Q}}=|\mathrm{OQ}|\sin\theta\cdot\frac{\overrightarrow{\mathrm{OR}}}{|\mathrm{OR}|}=(\sin\theta)\overrightarrow{\mathrm{OR}}$$

となります。よって、

$$\overrightarrow{\mathrm{OQ}}=(\cos\theta)\overrightarrow{\mathrm{OP}}+(\sin\theta)\overrightarrow{\mathrm{OR}}$$

を得ます。

ここで、成分を考えると$\overrightarrow{\mathrm{OP}}=(a,\ b)$, $\overrightarrow{\mathrm{OR}}=(-b,\ a)$となるので、$\overrightarrow{\mathrm{OQ}}$を成分で表すと

$$\overrightarrow{\mathrm{OQ}}=(a\cos\theta-b\sin\theta,\ a\sin\theta+b\cos\theta)$$

となります。これは複素数$a\cos\theta-b\sin\theta+(a\sin\theta+b\cos\theta)i$に対応しているので、複素数$z'=(\cos\theta+i\sin\theta)z$は、もと

の複素数zを複素平面上でθ回転させた複素数であることが証明されました。

ここでは、θが鋭角のときの図を描いて証明をしましたが、場合分けをすることで、θが90°以上のときも、同様に証明できます。

複素数の積

回転の考え方から、複素数の積についての意味が明確となります。最初に、大きさが1の複素数$\cos\theta + i\sin\theta$と$\cos\phi + i\sin\phi$の積を考えてみましょう。ϕはギリシャ文字でファイと読みます。

複素数$\cos\theta + i\sin\theta$を掛けるという操作は、角θの回転を表し、複素数$\cos\phi + i\sin\phi$の偏角はϕであるから、積をとると偏角が$\theta + \phi$になります。すなわち、次のようになります。

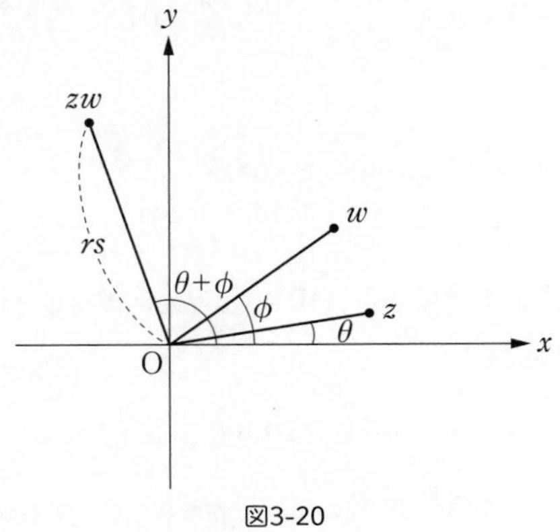

図3-20

$$(\cos\theta + i\sin\theta)(\cos\phi + i\sin\phi) = \cos(\theta + \phi) + i\sin(\theta + \phi) \qquad (3\text{-}1)$$

一般に、複素数$z = r(\cos\theta + i\sin\theta)$, $w = s(\cos\phi + i\sin\phi)$の積は、

$$zw = rs\{\cos(\theta + \phi) + i\sin(\theta + \phi)\}$$

となります。このことから、複素数の積は、大きさは元の複素数の大きさの積となり、偏角は元の複素数の偏角の和となることが分かります。

ちなみに、(3-1) の式を展開して、実部と虚部を比べることで、関係式

$$\cos(\theta + \phi) = \cos\theta\cos\phi - \sin\theta\sin\phi$$
$$\sin(\theta + \phi) = \sin\theta\cos\phi + \cos\theta\sin\phi$$

が導かれます。これを**加法定理**といいます。

通常、高校で複素数の積の性質を示すときは、加法定理を前提として (3-1) を証明しますが、本書ではベクトルの考え方を用いて回転の証明を行ったので、その結果として、(3-1) から加法定理が導かれたのです。

このように証明を鑑賞することで、数学的な気づきを得ることができます。ですから、証明をじっくり味わうことは、数学的な感性を磨くうえでも大切なことなのです。

複素数の積の性質から、大きさが1の複素数$\cos\theta + i\sin\theta$のn乗を考えると、偏角が、

$$\underbrace{\theta + \theta + \cdots + \theta}_{n\text{個}} = n\theta$$

となるので、次のことが分かります。

ド・モアブルの定理

$$(\cos\theta + i\sin\theta)^n = \cos n\theta + i\sin n\theta$$

大きさが1の複素数のn乗は、偏角の和をn回とることになるので、複素平面をイメージすると、ド・モアブルの定理が直観的にイメージしやすいと思います。

オイラーの公式

ここでは、有名なオイラーの公式について説明をします。最初に、複素数上の関数から始めます。

一般に、関数$f(x)$が

$$f(x) = a_0 + a_1x + a_2x^2 + a_3x^3 + \cdots \qquad (3\text{-}2)$$

のように、xのベキの無限和で表されるとき、「$f(x)$はベキ級数で展開される」といい、式（3-2）を関数$f(x)$のベキ級数展開といいます。

ここでは収束の証明などは省きますが、指数関数e^x、三角関数$\sin x$, $\cos x$は、次のようにベキ級数に展開されることが知られています。証明の際、$\sin x$, $\cos x$の微分を用いますが、弧度法で表された角で証明を行いますので、角はすべて弧度

法で表されているものとします。

$$e^x = 1 + \frac{1}{1!}x + \frac{1}{2!}x^2 + \frac{1}{3!}x^3 + \frac{1}{4!}x^4 + \cdots$$

$$\sin x = x - \frac{1}{3!}x^3 + \frac{1}{5!}x^5 - \frac{1}{7!}x^7 + \frac{1}{9!}x^9 - \cdots$$

$$\cos x = 1 - \frac{1}{2!}x^2 + \frac{1}{4!}x^4 - \frac{1}{6!}x^6 + \frac{1}{8!}x^8 - \cdots$$

これらのベキ級数は、複素数の範囲でも収束することが知られています。そこで、複素数z上の指数関数e^z、三角関数$\sin z$, $\cos z$を、これらのベキ級数で定義することができます。

$$e^z = 1 + \frac{1}{1!}z + \frac{1}{2!}z^2 + \frac{1}{3!}z^3 + \frac{1}{4!}z^4 + \cdots$$

$$\sin z = z - \frac{1}{3!}z^3 + \frac{1}{5!}z^5 - \frac{1}{7!}z^7 + \frac{1}{9!}z^9 - \cdots$$

$$\cos z = 1 - \frac{1}{2!}z^2 + \frac{1}{4!}z^4 - \frac{1}{6!}z^6 + \frac{1}{8!}z^8 - \cdots$$

ここで、e^zのzの代わりにizを代入すると、次のようになります。

$$e^{iz} = 1 + \frac{1}{1!}iz - \frac{1}{2!}z^2 - \frac{1}{3!}iz^3 + \frac{1}{4!}z^4 + \frac{1}{5!}iz^5 - \frac{1}{6!}z^6$$
$$- \frac{1}{7!}iz^7 + \cdots$$

一方、$\cos z + i\sin z$を計算すると、

$$\cos z + i\sin z = \left(1 - \frac{1}{2!}z^2 + \frac{1}{4!}z^4 - \frac{1}{6!}z^6 + \cdots\right)$$

$$+ i\left(z - \frac{1}{3!}z^3 + \frac{1}{5!}z^5 - \frac{1}{7!}z^7 + \cdots\right)$$

$$= 1 + \frac{1}{1!}iz - \frac{1}{2!}z^2 - \frac{1}{3!}iz^3 + \frac{1}{4!}z^4$$

$$+ \frac{1}{5!}iz^5 - \frac{1}{6!}z^6 - \frac{1}{7!}iz^7 + \cdots$$

証明は割愛しますが、今の場合は「絶対収束」といって、級数の和の順序を交換することができます。

したがって、$e^{iz} = \cos z + i\sin z$となることが示されました。特に、$z = \theta$を実数とすると、$e^{i\theta} = \cos\theta + i\sin\theta$となり、これを**オイラーの公式**といいます。

オイラーの公式

$e^{i\theta} = \cos\theta + i\sin\theta$

収束性や和の順序の交換など、厳密な議論ではありませんが、証明の筋道を理解してもらえればと思います。

逆に、この式をeの指数が純虚数の場合の定義と考えることもできます。

ここで、$e^{i\theta} = \cos\theta + i\sin\theta$において、$\theta = \pi$とすると

$\cos\pi + i\sin\pi = -1 + i\cdot 0 = -1$

となるので、

$$e^{i\pi} = -1 \qquad (3\text{-}3)$$

を得ます。−1を左辺にもっていくと、

$$e^{i\pi}+1=0 \tag{3-4}$$

となります。これを**オイラーの等式**といい、世界一美しい式といわれています。

オイラーの等式

$e^{i\pi}+1=0$

ここで、(3-3) と (3-4) の式をよく眺めてみてください。先入観なしで、あなたの感性で眺めてみてください。どちらが美しいと思いますか？

どちらが綺麗に見えるかというのは、数学というより、感性や好みの問題かもしれません。どちらでなければならないという答えはありませんので、２つの式をじっくり眺めて鑑賞してみてください。そうすることで、数学的な感性が養われると思います。

いま、感性の問題だといいましたが、少しだけ説明をすると、(3-4) の方が美しいと書かれている書物の方が多いように思われます。その理由として、(3-4) はe, π, i, 1, 0の関係を表しているからです。つまり、「無理数e, π」、「虚数単位i」、「乗法の単位元1」、「加法の単位元0」という５つの数の関係を表しているからです。

ただ、私としては (3-3) の方も推したいと思っています。(3-3) はe, π, i, −1の関係を表しています。マイナスというのは見えない数です。それがゆえに、数学の世界で認められるまで2000年近くもかかっています。虚数も認められるまで200年以上かかった見えない数です。そのような「見えない数-1, i」と不思議な「無理数e, π」の関係を表しているわけですから、こちらも味わい深いと思います。

それでは、感性の話はこれくらいにして、数学の話に戻りましょう。次に、回転の観点からオイラーの公式を見てみます。

大きさが1の複素数の積

$$(\cos\theta + i\sin\theta)(\cos\phi + i\sin\phi)$$
$$= \cos(\theta + \phi) + i\sin(\theta + \phi)$$

を、オイラーの公式を用いて表すと、次のようになります。

$$e^{i\theta}e^{i\phi} = e^{i(\theta + \phi)}$$

これは指数法則に他なりません。すなわち、複素数の回転は、オイラーの公式を用いると、指数法則として現れるのです。

次に、ド・モアブルの定理

$$(\cos\theta + i\sin\theta)^n = \cos n\theta + i\sin n\theta$$

を、オイラーの公式を用いて表すと、次のようになります。

$$(e^{i\theta})^n = e^{in\theta}$$

こちらも指数法則で表されました。

このように、複素数を$e^{i\theta}$で表示することで、回転を表すことが直観的につかみやすくなります。

大きさが１の複素数

ここでは、大きさが１の複素数の全体を考えます。複素平面で考えると、大きさが１の円周になります。大きさが１の円周をS^1で表します。

$$S^1=\{z\in \boldsymbol{C}\mid |z|=1\}$$

すなわち、大きさが１の複素数の全体は図形としての側面があるのです。S^1は次のようにも表せます。

$$S^1=\{e^{i\theta}\in \boldsymbol{C}\mid 0\leqq \theta<2\pi\}$$

このとき、S^1の元は積（演算）で閉じていることが分かります。

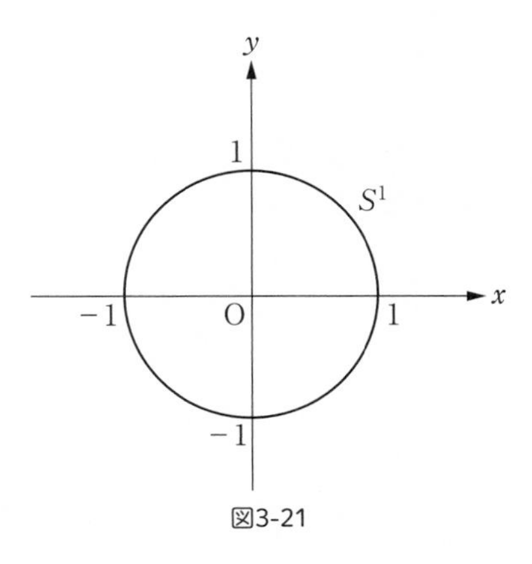

図3-21

$$e^{i\theta}e^{i\phi}=e^{i(\theta+\phi)}$$

この積に関して、S^1は群になります。つまり、

(1) $(e^{i\theta} e^{i\phi}) e^{i\psi} = e^{i\theta} (e^{i\phi} e^{i\psi}) = e^{i(\theta + \phi + \psi)}$：結合法則

　　ψはギリシャ文字でプサイと読みます。

(2) $e^{i \cdot 0} = 1$：単位元の存在

(3) $e^{i\theta}$に対して、$e^{i(-\theta)}$が逆元：逆元の存在

が成り立ちます。

すなわち、大きさが1である複素数の全体を考えることで、円周S^1は図形的な側面だけでなく、演算が定義された代数的な側面を持つ数学的な対象とみなすことができるのです。

このように図形であり、演算が定義された対象を、一般にLie（リー）群といいます。Lie群の正確な定義は専門的になるので、ここでは割愛しますが、イメージとしては、「図形であり、さらに群になり、その演算が滑らかに定義されている数学的な対象」だといえます。Lie群は現代の数学や物理学において重要な役割を果たしています。

ここまでのまとめ

☆$z=a+bi$を複素数とする。

$\bar{z}=a-bi$：実軸に関する対称移動

$-\bar{z}=-a+bi$：虚軸に関する対称移動

$-z=-a-bi$：原点に関する対称移動

☆内積

複素数$\alpha=a+bi,\ \beta=c+di$に対して、

$(\alpha,\ \beta)=ac+bd$

☆大きさが１の複素数$\cos\theta+i\sin\theta$を掛けるという操作は、複素平面上のθ回転を表す。

☆複素数$z=r(\cos\theta+i\sin\theta),\ w=s(\cos\phi+i\sin\phi)$の積

$zw=rs\{\cos(\theta+\phi)+i\sin(\theta+\phi)\}$

☆ド・モアブルの定理

$$(\cos\theta + i\sin\theta)^n = \cos n\theta + i\sin n\theta$$

☆オイラーの公式

$$e^{i\theta} = \cos\theta + i\sin\theta$$

特に、$\theta=\pi$とすると、オイラーの等式を得る。

$$e^{i\pi} + 1 = 0$$

☆円周$S^1=\{z \in C \mid |z|=1\}$は、Lie群となる。

第4章

四元数の池

～4次元の数～

1.四元数の発見
～2次元から4次元へ～

ハミルトンによる四元数の発見

最初に、四元数を発見したアイルランドの数学者、ハミルトンについて紹介します。

1805年、ハミルトンはアイルランドで生まれました。とても早熟で、5歳までにギリシャ語、ヘブライ語、ラテン語などが読めたといいます。12歳までにニュートンによる有名な著書『自然哲学の数学的原理』（プリンキピアの名で知られています）を読破しました。

その後、ダブリン大学のトリニティーカレッジに入学し、卒業を待たずして、アイルランド王室天文官兼ダブリン大学教授に就任しました。

1835年にはナイトの称号を授与され、ハミルトン卿となります。1837年から1846年までアイルランド王立アカデミーの会長を務めました。

ハミルトンは数学だけでなく、物理学の力学や光学の研究で重要な貢献をしました。ハミルトンが研究した力学と光学の密接な類似性は、後に量子力学を構築する際、ド・ブロイ

図4-1
W.R. ハミルトン（1805－1865）

やシュレディンガーに影響を与えました。また、物理学のエネルギーに対応する物理量であるハミルトニアンは、ハミルトンの名にちなんで名付けられています。

数学においては、1835年、ハミルトンは実数の順序対から複素数を代数的に構成する方法を定式化しました。彼は複素数の積を平面の回転と捉えていました。

次に、ハミルトンはこの考えを発展させて、空間の点に対応する数を構成できないか考えました。つまり、３つの実数の組からなる数を作れないか考えたのです。

ハミルトンは、３つの実数の組で、「四則演算ができ、大きさが定義され、大きさが積で保たれるような数」を構成しようとしていました。

ハミルトンは10年近くも考え続けましたが、うまくいきませんでした。実は、３つの実数ではうまくいかず、４つの実数が必要なのです。これを四元数といいます。

1843年10月、発見への機運が熟します。後年、ハミルトンは、息子への手紙でその月の様子を書いています。手紙には、次のように書かれています。

「その月の上旬の毎朝、私が朝食に降りていくと、お前の(そのときは)小さかった弟William Edwinとお前とが、

『ねえパパ、３つ組みを掛けることはできた？』

と私に問いかけたものだった。
しかし、いつも私は悲しく首を振り、

『いや、できたのは、足し算と引き算だけだよ』

と答えざるをえなかった」

（Baezの論文［７］からの引用。訳は山田修司［６］による）

そして、10月16日、そのときがやってきます。ダブリンで開かれるアイルランド王立アカデミーの会合に向かう途中、ハミルトンが妻とともにロイヤル運河沿いに歩いているとき、４つの実数を持つ数のアイデアが頭の中にひらめきました。彼はうれしさのあまり、渡っていたブルーム橋の石に、ひらめいた公式を刻みつけました。

ハミルトンが刻んだ文字を、今はもう見ることはできませ

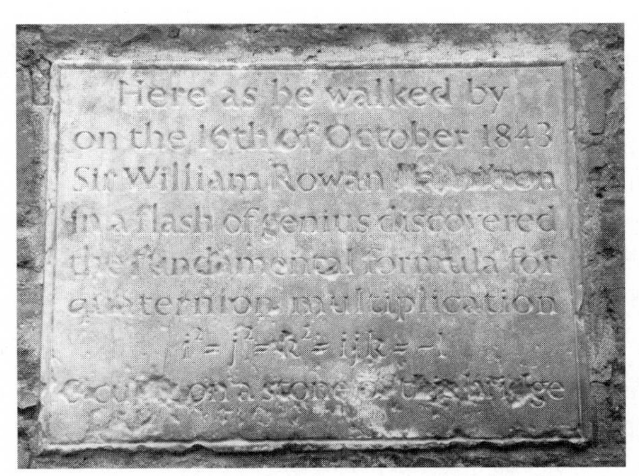

図4-2　アイルランドのダブリンにあるブルーム橋に設置されたプレート

んが、ブルーム橋には四元数の発見を記念したプレートが設置されています。そのプレートには、次のように書かれています。

「1843年の10月16日、ここを通りかかったウィリアム・ローワン・ハミルトンは、天才のひらめきをもって四元数の乗法の基本公式

$$i^2=j^2=k^2=ijk=-1$$

を思いつき、この橋の石にそれを刻んだ」

ハミルトンの発見により、複素数を超える四元数への道が開かれたのでした。

1843年を境に、ハミルトンは四元数の魅力にとりつかれたように、研究に没頭していきました。力強く四元数の研究を推し進める一方、私生活では孤独になっていきました。ハミルトンは、散らかされた計算用紙と食べかけのパン、酒ビンの山に囲まれた部屋で、孤独な生涯を終えたといいます。

当時、四元数は空間の回転を表現できたため、電磁気学などに応用されるようになり、しばらくの間は流行しました。

ところが、その後、ベクトル解析が発展し、四元数とどちらが有用かの論争になっていきます。そして次第に、物理や工学への応用は、ベクトル解析にとって代わられるようになりました。しかし、近年、コンピュータ・グラフィックスなどの分野で、四元数が用いられるようになり、再び、四元数が注目されつつあります。

四元数の定義

それでは、四元数がどのような数なのか、数学的に見ていきましょう。四元数では複素数のiにあたる記号を３つ用意します。すべて同じ記号だと区別がつかないので、それらをi, j, kとします。すなわち、２乗すると-1になる数をi, j, kとするのです。

$$i^2 = -1, \qquad j^2 = -1, \qquad k^2 = -1$$

そして、

$$a + bi + cj + dk \qquad (a, b, c, d \text{は実数})$$

と表される数を**四元数**（quaternion）といいます。つまり、四元数とは、

$$1 + 3i, \qquad 6j + 2k, \qquad 3 + 5i - 4j + 8k$$

といった形の数のことです。

２つの四元数が等しいことを次のように定義します。

$$a + bi + cj + dk = a' + b'i + c'j + d'k$$
$$\iff a = a' \text{ かつ } b = b' \text{ かつ } c = c' \text{ かつ } d = d'$$

つまり、$1, i, j, k$にかかっている実数がすべて一致するとき、２つの四元数は等しいと定めます。

次に、四元数の和と積を定めます。和は、通常のように定義します。

$$\alpha = a + bi + cj + dk, \quad \beta = a' + b'i + c'j + d'k \text{に対し}$$

て、

$$\alpha + \beta = a + a' + (b+b')i + (c+c')j + (d+d')k$$

たとえば、

$$(2+3i-4j)+(1+2i-4j+2k)=3+5i-8j+2k$$

となります。

次に積を定義します。最初に、$i,\ j,\ k$の間の積を、次のように定義します。

$$ij=-ji=k, \qquad jk=-kj=i, \qquad ki=-ik=j$$

一般の四元数に対しては、分配法則が成り立つように積を定めます。たとえば、

$$\begin{aligned}(2+3j)(4i-k) &= 8i-2k+12ji-3jk \\ &= 8i-2k-12k-3i \\ &= 5i-14k\end{aligned}$$

のようになります。計算の途中で、$12ji$の部分は順序に注意してください。$ij=k$ですが$ji=-k$となります。すなわち、四元数は（積の）交換法則が成り立たないのです。

四元数の全体からなる集合を記号$\boldsymbol{H}$で表し**四元数体**といいます。HはHamilton（ハミルトン）の頭文字です。四元数のことを、ハミルトンの四元数ということもあります。積の交換法則が成り立たないので、四元数体$\boldsymbol{H}$は非可換体となります。

四元数は、複素数や実数を含んだ数と考えることができます。たとえば、実数5は四元数$5+0i+0j+0k$のことだと見

なし、複素数$1+3i$は四元数$1+3i+0j+0k$のことだと見なすことができます。

$$\text{実数　：} a \iff a+0i+0j+0k$$
$$\text{複素数：} a+bi \iff a+bi+0j+0k$$

数の全体の集合で考えると、次の包含関係が成り立ちます。

$$\boldsymbol{R} \subset \boldsymbol{C} \subset \boldsymbol{H}$$

これで四元数が定義できましたが、四元数の積の関係式はあまり見慣れないので、はじめは奇妙に思われるかもしれません。そこで、次の項から、この関係式について見ていきましょう。

どうして非可換になったのか？

四元数の積は、どうして非可換になったのでしょうか。可換ではいけないのでしょうか。ここでは、どうしてハミルトンが非可換の積を定義しなければならなかったのかを見ていきましょう。

最初、ハミルトンは複素数の拡張として、3つの実数の組で数を作ることを考えていました。これを三元数と呼び、$a+bi+cj$と表すこととします（実際には、三元数は存在しません）。

三元数の満たすべき性質として、ハミルトンは「大きさが積で保たれること」が必要だと考えました。実数の場合だと、2つの数α, βに対して、絶対値$|\alpha|$は、

$$|\alpha\beta|=|\alpha|\cdot|\beta|$$

のように積をとっても保たれます。同様に、複素数についても、積で大きさが保たれます。ですから、三元数に対しても、このように積をとっても大きさが保たれなければならないとハミルトンは考えたのです。

三元数$\alpha=a+bi+cj$を空間の点$(a,\ b,\ c)$と対応させることで、大きさ$|\alpha|$は、

$$|\alpha|=\sqrt{a^2+b^2+c^2}$$

と自然に定まります。問題は積の定め方です。ここでは、$\alpha=\beta$の場合、すなわち、$|\alpha^2|=|\alpha|^2$が成り立つかどうかを、見てみましょう。

まず、$|\alpha|^2=a^2+b^2+c^2$であることが分かります。

次に、$|\alpha^2|$を調べるために、α^2の計算について考察します。もし、$ij=ji$だと仮定して$\alpha^2=(a+bi+cj)^2$を計算すると、

$$\alpha^2=(a+bi+cj)^2=a^2-b^2-c^2+2abi+2acj$$
$$+2bcij$$

となります。ここで、ijの項を無視すると、つまり、$2bcij$を0と考えると、

$$\alpha^2=a^2-b^2-c^2+2abi+2acj$$

となり、

$$|\alpha^2|=\sqrt{(a^2-b^2-c^2)^2+(2ab)^2+(2ac)^2}$$

となります。

このとき、関係式

$$(a^2-b^2-c^2)^2+(2ab)^2+(2ac)^2=(a^2+b^2+c^2)^2$$

から、$|\alpha^2|=|\alpha|^2$が成り立つことが分かります。

最初、ハミルトンは、ひょっとすると$ij=0$ではないかと考えました。しかし、この予想はしっくりこないとハミルトンは感じました。

そこで、$ij=0$としなくても、$ji=-ij$とすれば余分な項が消えると、ハミルトンは考えたのです。実際、ijとjiを区別して、$(a+bi+cj)^2$を展開すると、

$$\begin{aligned}&(a+bi+cj)^2\\&=a^2-b^2-c^2+2abi+2acj+bc(ij+ji)\end{aligned}$$

となるので、$ji=-ij$のとき、最後の項は消えて、$|\alpha^2|=|\alpha|^2$が成り立ちます。このことから、積が非可換であることの必然性が出てきたのです。

ただし、この場合、$|\alpha^2|=|\alpha|^2$は成り立ちますが、一般の場合$|\alpha\beta|=|\alpha|\cdot|\beta|$で問題が生じます。

三元数は$a+bi+cj$という形をしているので、積ijを三元数として、

$$ij=x+yi+zj$$

の形で定めなければいけません。

たとえば、$ij=-ji=1$や$ij=-ji=i$のように、積ijを何らかの三元数で定めなければいけないのです。しかし、このとき、$|\alpha\beta|=|\alpha|\cdot|\beta|$がうまく成り立たず、どうしても４番目の項$k$が必要になるのです。

まとめると、四則演算ができ、積が大きさを保つような数を見つけようとすると、実数の３つの組では実現ができず、積が非可換である４つの実数の組が必然的に現れるのです。このことをハミルトンは発見したのです。

現代の言葉で言うと、積が「大きさ」を保つ体で実数体の拡大になっているものをハミルトンは探していたのです。

２つの定義が等しいことを示す

四元数について、$i,\ j,\ k$の間の積の関係式をまとめると、次のようになります。

$$
\begin{aligned}
&i^2=-1, \quad j^2=-1, \quad k^2=-1 \\
&ij=-ji=k, \quad jk=-kj=i, \quad ki=-ik=j
\end{aligned}
\qquad (*)
$$

これはハミルトンがブルーム橋に刻んだ関係式

$$i^2=j^2=k^2=ijk=-1 \qquad (**)$$

と若干違う形をしています。この２つは同じ関係式なのでしょうか。実は、この２つは同じ関係式を表しています。

一般に、数学では２つの条件が同じことを意味するとき、**同値**といいます。正確には、２つの条件（P）と（Q）があるとき、

「（P）ならば（Q）」と「（Q）ならば（P）」

がともに真であるとき、条件（P）と（Q）は同値であると

いい、

$$(\mathrm{P}) \Longleftrightarrow (\mathrm{Q})$$

と表します。

ここでは、条件（＊）と（＊＊）が同値な関係式であることを示します。つまり、「(＊）ならば（＊＊)」と「(＊＊）ならば（＊)」の両方を示します。

最初に「(＊）ならば（＊＊)」を示します。すなわち、関係式（＊）が成り立つことを仮定して、関係式（＊＊）が成り立つことを証明します。

今から証明をしますが、四元数独特の計算に慣れるためにも、説明を読む前に、ぜひ一度ペンと紙をとって計算してみることをお勧めします。自分で試行錯誤しながら計算するうちに、「(＊）から（＊＊)」と「(＊＊）から（＊)」が導けると思います。いろいろ試して計算するうちに、四元数の計算の感覚がつかめてくるでしょう。

数学では、書きながら読み進めることが大事なのです。数学者のグロタンディークは、数学をするとは「書くことです」と述べています。その先の「創造性」が大切であることを踏まえた上で、学習段階では、書きながら学ぶことが大事だとグロタンディークは述べているのです。

それでは、最初に（＊）が成り立つことを仮定して、(＊＊）を導いてみましょう。

$i^2=j^2=k^2=-1$は共通なので、あとは$ijk=-1$を示せばよいわけです。そこで、$ij=k$の両辺の右からkを掛けると$ijk=k^2$となり、$ijk=-1$を導くことができました。したがって、（＊）から（＊＊）を示すことができました。

ここで注意してほしいのは、四元数は非可換なので、「右から掛ける」とか、「左から掛ける」というように、どちらから掛けるのか区別する必要があるのです。

次に、（＊＊）から（＊）を導きます。

$ijk=-1$の両辺の左からiを掛けると、$-jk=-i$から

$$jk=i \tag{4-1}$$

を得ます。また、$ijk=-1$の両辺の右からkを掛けると、

$$ij=k \tag{4-2}$$

を得ます。このとき、$jk=i$の両辺の左から、$ij=k$の両辺をそれぞれ掛けると、$ij \cdot jk=ki$となり、左辺で$j^2=-1$を用いると、

$$-ik=ki \tag{4-3}$$

を得ます。

この式の両辺右からjを掛けることで、$-ikj=kij$となり、先ほど導いた$ij=k$を右辺で用いると、

$$ikj=1$$

を得ます。この式の両辺左からiを掛けると、$-kj=i$となるので、(4-1) と合わせると、

$$jk=-kj=i$$

となり、積jkの関係式が証明されました。

同じように、$ikj=1$の右からjを掛けると、$-ik=j$となるので、(4-3) と合わせると、

$$ki=-ik=j$$

となり、積kiの関係式が証明されました。

最後に、$ki=j$の両辺左から$jk=i$の両辺をそれぞれ掛けることで、$jk\cdot ki=ij$となり、$-ji=ij$となるので、(4-2) と合わせると、$ij=-ji=k$を得ることができます。

これで、（＊＊）から（＊）を導くことができました。

日本語の説明を書きながら変形したので長くなりましたが、式変形だけを書いていくと案外すっきりするものです。先ほどもいいましたが自分で紙に書いて計算してみるとよいでしょう。

これらの計算によって、関係式（＊）と関係式（＊＊）が同値であることが証明されました。

関係式としては（＊＊）がきれいな形をしています。この関係式は、アイルランドのブルーム橋の石に刻まれている写真からも、四元数の風格を感じます。

ただ、実際は、関係式（＊）で覚えた方が計算しやすいので、教科書などでは通常（＊）で定義されています。

どちらにせよ、関係式（＊）または（＊＊）によって、四元数への扉が開かれたことになります。

四元数の積の規則性を眺めよう

四元数におけるi, j, kの間の積を表にすると、図4-3のようになります。

	i	j	k
i	-1	k	$-j$
j	$-k$	-1	i
k	j	$-i$	-1

図4-3　四元数の乗積表

このように積を表にしたものを**乗積表**といいます。表の見方は、「左端の縦のラインを左、上端の横のラインを右」にして積をとります。

たとえば、左端のiと上端のjが交差しているところにkがありますので、$ij=k$となります。

表を見ると、対角線に-1が並び、対角線に関して、kと$-k$のように符号が逆になっています。

四元数の積において、次の関係式をよく見てください。

$$ij=k, \qquad jk=i, \qquad ki=j$$

とても自然な規則性です。

高校生のとき因数分解を習いますが、

$$(x+y)(x+z)(y+z)$$

という形の因数分解を、

$$(x+y)(y+z)(z+x)$$

のように書くこともあります。比べてみて、どうでしょうか。因数分解としては、どちらも正解なのですが、後者の方がきれいな形をしていると思いませんか？　これを数学的な表現で「**循環**」といいます。

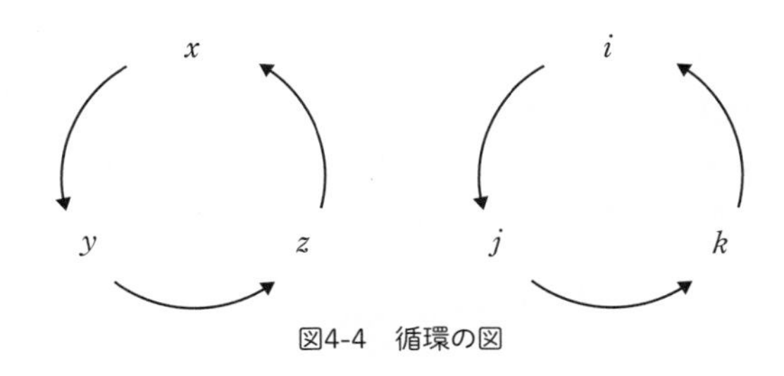

図4-4　循環の図

循環の形に並べることで、対称性などが見えやすくなります。循環や対称性というのは、数学の本質の１つではないでしょうか。数学に限らず、季節が春夏秋冬と巡るように、循環は自然界の本質なのかもしれません。そう思うと四元数の積が、このような循環の形をしているというのは、とても興味深いといえます。

四元数の割り算について考える

四元数を定義して、和と積を定めることができました。ここで、四元数の商、すなわち、割り算について考えてみましょう。

最初に、具体的な数で見てみます。たとえば、四元数

$$\alpha = 3 + 2i - j + k$$

に対して、

$$\alpha \cdot \alpha^{-1} = \alpha^{-1} \cdot \alpha = 1$$

となる四元数α^{-1}がαの逆元です。

考え方としては、$\alpha = 3 + 2i - j + k$に何かを掛けることで、i, j, kが消えて（0でない）実数になれば、逆元を見つけることができます。そこで、i, j, kの係数の符号を逆にした$3-2i+j-k$を考えて、元の四元数に掛けてみます。

$$(3 + 2i - j + k)(3 - 2i + j - k)$$

この式を展開すると、$1, i, j, k$の項を、それぞれ自分自身と掛けた

$$3^2 - (2i)^2 - j^2 - k^2$$

以外はすべて消えてしまいます。たとえば、iとjの部分を展開すると、$2ij$と$-j(-2i) = 2ji = -2ij$で打ち消し合います。同様に、他の部分も打ち消し合います。ですから、計算すると、

$$\begin{aligned}(3 + 2i - j + k)(3 - 2i + j - k) &= 3^2 - (2i)^2 - j^2 - k^2 \\ &= 9 + 4 + 1 + 1 \\ &= 15\end{aligned}$$

となり、i, j, kがすべて消えて実数になります。このことから、$3 - 2i + j - k$を15で割った$\dfrac{1}{15}(3 - 2i + j - k)$を考えること

で、

$$(3+2i-j+k)\times\frac{1}{15}(3-2i+j-k)=1$$

となります。同様に、

$$\frac{1}{15}(3-2i+j-k)\times(3+2i-j+k)=1$$

となり、$\alpha^{-1}=\frac{1}{15}(3-2i+j-k)$だと分かります。すなわち、逆元の存在がいえたわけです。

一般に、四元数$\alpha=a+bi+cj+dk$に対して、

$$\overline{\alpha}=a-bi-cj-dk$$

と定め、四元数αの**共役**といいます。このとき、

$$\alpha\,\overline{\alpha}=\overline{\alpha}\,\alpha=a^2+b^2+c^2+d^2$$

となり、

$$\alpha^{-1}=\frac{1}{a^2+b^2+c^2+d^2}(a-bi-cj-dk)$$

となることが計算で確かめられます。ここで、

$$\alpha\neq 0\iff a^2+b^2+c^2+d^2\neq 0$$

となることから、０以外のすべてのαに対して、逆元が存在することが分かります。

すなわち、四元数の全体は（０で割ることを除いて）加減乗除が可能なのです。

数としての様々な性質

最初に、四元数α, βに対して、

$$\alpha\overline{\beta}+\beta\overline{\alpha}$$

を計算してみます。$\alpha=a+bi+cj+dk$, $\beta=a'+b'i+c'j+d'k$として、

$$(a+bi+cj+dk)(a'-b'i-c'j-d'k) \\ +(a'+b'i+c'j+d'k)(a-bi-cj-dk)$$

を展開すると、たくさん項が出てきますが、実数部分以外はすべて消えます。

たとえば、展開したときのijの部分は

$$-bc'ij-b'cji-b'cij-bc'ji \\ =-bc'k+b'ck-b'ck+bc'k=0$$

となり、うまく打ち消しあって消えるのです。他の部分も実数部分以外は打ち消し合い、

$$\alpha\overline{\beta}+\beta\overline{\alpha}=2aa'+2bb'+2cc'+2dd'$$

を得ます。シンプルな形になりました。

これを2で割ったものを四元数α, βの**内積**といい、(α, β)と表します。すなわち、

$$(\alpha, \beta)=aa'+bb'+cc'+dd'$$

と定めます。このとき、

$$(\alpha,\ \beta)=\frac{1}{2}(\alpha\overline{\beta}+\beta\overline{\alpha})=aa'+bb'+cc'+dd'$$

となります。

同様に、$\overline{\alpha}\beta+\overline{\beta}\alpha$を計算すると、

$$\overline{\alpha}\beta+\overline{\beta}\alpha=2aa'+2bb'+2cc'+2dd'$$

となり、こちらも内積を表しています。

$$(\alpha,\ \beta)=\frac{1}{2}(\alpha\overline{\beta}+\beta\overline{\alpha})=\frac{1}{2}(\overline{\alpha}\beta+\overline{\beta}\alpha)$$

これは複素数の内積の拡張になっています。また、４次元空間のベクトルの内積に対応しています。

例として、$\alpha=2+i-3j+k$と$\beta=1+3i+2j+k$の内積を計算してみましょう。

$$(\alpha,\ \beta)=2+3-6+1=0$$

となり、内積が０になりました。これは

αとβに対応する４次元空間のベクトル(2, 1, −3, 1)と(1, 3, 2, 1)が直交する

ということを意味します（４次元空間については、次章で説明します）。

４次元空間は目に見えないので、直交しているかどうか感覚的には分かりませんが、内積を考えることで、垂直の概念を与えることができるのです。

内積を用いて、四元数$\alpha=a+bi+cj+dk$の**大きさ**$|\alpha|$を次のように定義します。

$$|\alpha|=\sqrt{(\alpha,\ \alpha)}=\sqrt{a^2+b^2+c^2+d^2}$$

四元数の大きさは、積で保たれます。

$$|\alpha\ \beta|=|\alpha|\cdot|\beta| \qquad (4\text{-}4)$$

ハミルトンはこの関係式を保つような数を見つけようと、3つの実数の組で試行錯誤しましたが、うまくいかずに四元数にたどり着いたことは、この章の最初に述べました。

この式は両辺を2乗した式$|\alpha\ \beta|^2=|\alpha|^2\cdot|\beta|^2$と同値になります。ここで、

$\alpha=a+bi+cj+dk,\ \beta=x+yi+zj+wk$に対して、

$$\begin{aligned}\alpha\ \beta&=ax-by-cz-dw+(ay+bx+cw-dz)i\\&\quad+(az-bw+cx+dy)j+(aw+bz-cy+dx)k\end{aligned}$$

となることから、$|\alpha|^2\cdot|\beta|^2=|\alpha\ \beta|^2$は、次のようになります。

$$\begin{aligned}&(a^2+b^2+c^2+d^2)(x^2+y^2+z^2+w^2)\\&\quad=(ax-by-cz-dw)^2+(ay+bx+cw-dz)^2\\&\quad+(az-bw+cx+dy)^2+(aw+bz-cy+dx)^2 \qquad (4\text{-}5)\end{aligned}$$

(4-4)と(4-5)は同値な式になるので、(4-5)の左辺と右辺をそれぞれ別々に展開して、等しいことを確かめることで(4-5)が示され、(4-4)が成り立つことが分かります。

四元数の共役については、複素数同様、次の関係式が成り立ちます。

$$\overline{\overline{\alpha}}=\alpha,\quad \overline{\alpha+\beta}=\overline{\alpha}+\overline{\beta},\quad \overline{\alpha\beta}=\overline{\beta}\,\overline{\alpha}\quad (\alpha,\ \beta\text{は四元数})$$

ただし、四元数の場合、共役を取ると積の順序が逆になります。

方程式から違いを見てみよう

次に、方程式を通して、実数、複素数、四元数の違いを見てみましょう。

第２章で、代数学の基本定理を説明しました。これは複素数の持つ本質的な性質だといえます。では、四元数ではどうでしょうか。

方程式$x^2+1=0$を通して考えてみましょう。

四元数の範囲で考えると、$x=\pm i,\ \pm j,\ \pm k$はこの方程式の解となりますが、他にも解は存在します。

いま、$x=\alpha$が方程式$x^2+1=0$の解とします。すなわち、$\alpha^2=-1$とします。

このとき、０でないどんな四元数cに対しても、$c\alpha c^{-1}$は方程式$x^2+1=0$の解となります。実際、

$$(c\alpha c^{-1})^2=c\alpha c^{-1}\cdot c\alpha c^{-1}=c\alpha^2c^{-1}=-cc^{-1}=-1$$

となるので、$x=c\alpha c^{-1}$は方程式$x^2+1=0$の解となることが分かります。

つまり、方程式$x^2+1=0$の解は、四元数の範囲では無数に存在することが分かりました。

まとめると、次のようになります。

方程式$x^2+1=0$の解は、
実数の範囲では存在しない。
複素数の範囲では２つ存在する。
四元数の範囲では無数に存在する。

このことから、四元数では代数学の基本定理が成り立たないことが分かります。

これまで見てきたように、実数、複素数、四元数はそれぞれ性質が違いますが、この順に数は拡張されてきました。

とはいうものの、「可換性」という性質がくせもので、可換性はあまりにも人間の感覚になじみやすく、そのため、心理的な問題として、四元数は特殊な数のように思われることがあります。

しかし、冷静になって考えてみると、四元数は四則演算ができ、さらに、大きさ、内積、共役を定めることができ、数の満たすべき性質を、ほとんど満たしています。大きさや内積などは４次元空間を考えることで自然に解釈することができます。このように考えると、四元数は複素数の自然な拡張であるといえるのです。

しかしながら、四元数は複素数と比べると、現在のところまだ十分普及しているとはいえない状況です。

虚数が広く受け入れられるまで200〜300年、負の数は2000年近くかかっており、相当長い年月を要したように、人間は新しいものを受け入れるには、時間がかかるのかもしれません。

２．四元数の性質
〜代数的な観点から〜

純虚四元数の積を見てみよう

$bi+cj+dk$の形をした０でない四元数を**純虚四元数**といいます。純虚四元数の積には規則性があります。それを、ここでは見てみましょう。

２つの純虚四元数を$a_1i+a_2j+a_3k$, $b_1i+b_2j+b_3k$として、積の定義にしたがって計算すると、次のようになります。

$$
\begin{aligned}
&(a_1i+a_2j+a_3k)(b_1i+b_2j+b_3k) \\
&= -(a_1b_1+a_2b_2+a_3b_3)+(a_2b_3-a_3b_2)i \\
&\quad +(a_3b_1-a_1b_3)j+(a_1b_2-a_2b_1)k
\end{aligned}
\qquad (4\text{-}6)
$$

純虚四元数$a_1i+a_2j+a_3k$と空間ベクトル$\vec{a}=(a_1, a_2, a_3)$の対応

$$a_1i+a_2j+a_3k \quad \longleftrightarrow \quad \vec{a}=(a_1, a_2, a_3)$$

を考えると、(4-6) の規則性が見えてきます。(4-6) の実数部分は、

$$\text{内積}：(\vec{a}, \vec{b})=a_1b_1+a_2b_2+a_3b_3$$

のマイナスとなっています。

純虚部分のi, j, kの係数をそれぞれ、x成分、y成分、z成分に持つベクトルは、ベクトル$\vec{a}, \vec{b}$の**外積**と呼ばれるベクトルになっています。$\vec{a}, \vec{b}$の外積は$\vec{a}\times\vec{b}$と表され、もとの$\vec{a}, \vec{b}$と直交するベクトルとなります。

$$外積：\vec{a}\times\vec{b}=(a_2b_3-a_3b_2, a_3b_1-a_1b_3, a_1b_2-a_2b_1)$$

$\vec{a}\times\vec{b}$の大きさは、$\vec{a}$と$\vec{b}$が張る平行四辺形の面積と等しく、向きは、$\vec{a}$から$\vec{b}$に向かって右ネジを回すとき、ネジの進む方向と同じ向きとなります。

内積は実数ですが、外積はベクトルであることに注意してください。

このように、純虚四元数の積は、空間ベクトルの内積と外積が出てくる規則性のある形となります。

ここで、$ad-bc$を記号$\begin{vmatrix} a & b \\ c & d \end{vmatrix}$で書くことにします。これは行列式と呼ばれているものです。

$$\begin{vmatrix} a & b \\ c & d \end{vmatrix}=ad-bc$$

そうすると、外積の規則性が見えやすくなります。外積のx成分、y成分、z成分は、それぞれ次のようになります。

$$\begin{vmatrix} a_2 & b_2 \\ a_3 & b_3 \end{vmatrix}, \quad \begin{vmatrix} a_3 & b_3 \\ a_1 & b_1 \end{vmatrix}, \quad \begin{vmatrix} a_1 & b_1 \\ a_2 & b_2 \end{vmatrix}$$

これを見ると分かるように、添え字が

$$2, 3 \to 3, 1 \to 1, 2$$

と循環の形になっています。

ラグランジュの恒等式との密接な関係

四元数の応用として、ラグランジュの恒等式と呼ばれている恒等式を証明することができます。

次の恒等式を**ラグランジュの恒等式**といいます。

$$(a_1^2 + a_2^2)(b_1^2 + b_2^2) = (a_1b_1 + a_2b_2)^2 + (a_1b_2 - a_2b_1)^2$$

$$\begin{aligned}(a_1^2 + a_2^2 + a_3^2)(b_1^2 + b_2^2 + b_3^2) &= (a_1b_1 + a_2b_2 + a_3b_3)^2 + (a_1b_2 - a_2b_1)^2 \\ &\quad + (a_1b_3 - a_3b_1)^2 + (a_2b_3 - a_3b_2)^2\end{aligned}$$

$$\begin{aligned}(a_1^2 + a_2^2 + a_3^2 + a_4^2)(b_1^2 + b_2^2 + b_3^2 + b_4^2) &= (a_1b_1 + a_2b_2 + a_3b_3 + a_4b_4)^2 \\ &\quad + (a_1b_2 - a_2b_1)^2 + (a_1b_3 - a_3b_1)^2 + (a_1b_4 - a_4b_1)^2 \\ &\quad + (a_2b_3 - a_3b_2)^2 + (a_2b_4 - a_4b_2)^2 + (a_3b_4 - a_4b_3)^2\end{aligned}$$

ここで、変数$a_1, a_2, a_3, a_4, b_1, b_2, b_3, b_4$は実数とします。

ラグランジュの恒等式は、一般に変数a_1, a_2, a_3, $\cdots$, a_n, b_1, $b_2, b_3, \cdots, b_n$で成り立ちますが、ここでは四元数との関係を見ていきますので、$n = 2, 3, 4$の場合を考えていきます。

それぞれの恒等式の左辺と右辺を別々に展開して証明することもできますが、ここでは四元数を用いた証明を見ていきます。

$n=2, 3, 4$の場合のラグランジュの恒等式は、それぞれ複素数、純虚四元数、四元数を用いて証明することができます。証明自体なら、$n=4$の場合を先に証明して、$a_4=b_4=0$とすれば$n=3$の場合、$a_3=b_3=a_4=b_4=0$とすれば$n=2$の場合のラグランジュの恒等式が得られますが、ここでは複素数や純虚四元数との関わりを見ていきますので、別々に証明をしていきます。どの場合も、「積が大きさを保つ」ことを用いて証明されます。

[Ⅰ] $n=2$の場合

複素数$\alpha=a_1+a_2i$, $\beta=b_1+b_2i$に対して、$|\alpha\beta|=|\alpha|\cdot|\beta|$の両辺を2乗して、左辺と右辺を逆にした式、

$$|\alpha|^2\cdot|\beta|^2=|\alpha\beta|^2$$

を考えます。

$$\begin{aligned}\alpha\beta&=(a_1+a_2i)(b_1+b_2i)\\&=a_1b_1-a_2b_2+(a_1b_2+a_2b_1)i\end{aligned}$$

となることから、

$$|\alpha\beta|^2=(a_1b_1-a_2b_2)^2+(a_1b_2+a_2b_1)^2$$

となります。したがって、

$$(a_1{}^2+a_2{}^2)(b_1{}^2+b_2{}^2)=(a_1b_1-a_2b_2)^2+(a_1b_2+a_2b_1)^2$$

を得ます。ここで、置き換え$b_2\to-b_2$を行うことで、

$$(a_1{}^2+a_2{}^2)(b_1{}^2+b_2{}^2)=(a_1b_1+a_2b_2)^2+(a_1b_2-a_2b_1)^2$$

となり、$n=2$の場合のラグランジュの恒等式が導かれました。

$n=2$の場合のラグランジュの恒等式は、**ブラーマグプタの二平方恒等式**と呼ばれています。これは「複素数の積が大きさを保つ」ことと本質的には同じことが、証明から分かります。

［Ⅱ］$n=3$の場合

$n=3$のときは、純虚四元数を用いて証明することができます。四元数は４次元ですが、純虚四元数を考えることで、３次元を表現することができるのです。

２つの純虚四元数を$a_1i+a_2j+a_3k$, $b_1i+b_2j+b_3k$とします。これらの積は純虚四元数ではありませんが、四元数の枠組みで考えると、積は大きさを保ちます。

$$
\begin{aligned}
&(a_1i+a_2j+a_3k)(b_1i+b_2j+b_3k)\\
&=-(a_1b_1+a_2b_2+a_3b_3)+(a_2b_3-a_3b_2)i\\
&\quad+(a_3b_1-a_1b_3)j+(a_1b_2-a_2b_1)k
\end{aligned}
$$

となり、$|\alpha|^2\cdot|\beta|^2=|\alpha\beta|^2$であることから、

$$
\begin{aligned}
&(a_1^2+a_2^2+a_3^2)(b_1^2+b_2^2+b_3^2)\\
&=(a_1b_1+a_2b_2+a_3b_3)^2+(a_2b_3-a_3b_2)^2\\
&\quad+(a_3b_1-a_1b_3)^2+(a_1b_2-a_2b_1)^2
\end{aligned}
$$

を得ます。ここで、$(a_3b_1-a_1b_3)^2=(a_1b_3-a_3b_1)^2$となるので、これは、$n=3$の場合のラグランジュの恒等式です。

すなわち、この式は、純虚四元数の積をとり、「四元数の積が大きさを保つ」ことを書き下すことで、ただちに導かれ

ることが分かりました。

［Ⅲ］$n=4$の場合

$n=4$のときは、四元数を用いて示します。先ほど、純虚四元数を$a_1 i+a_2 j+a_3 k$とおいたので、ここでは四元数の表し方を、a_0から始めて$a_0+a_1 i+a_2 j+a_3 k$とすることにしましょう。

いま、２つの四元数を

$$\alpha=a_0+a_1 i+a_2 j+a_3 k$$
$$\beta=b_0+b_1 i+b_2 j+b_3 k$$

とおくことにします。$|\alpha|^2\cdot|\beta|^2=|\alpha\beta|^2$を$1, i, j, k$の係数を用いて書き下すと、

$$\begin{aligned}&(a_0^2+a_1^2+a_2^2+a_3^2)(b_0^2+b_1^2+b_2^2+b_3^2)\\&\quad=(a_0b_0-a_1b_1-a_2b_2-a_3b_3)^2\\&\qquad+(a_0b_1+a_1b_0+a_2b_3-a_3b_2)^2\\&\qquad+(a_0b_2-a_1b_3+a_2b_0+a_3b_1)^2\\&\qquad+(a_0b_3+a_1b_2-a_2b_1+a_3b_0)^2\end{aligned}$$

となります。

ここで、$(a_0b_0-a_1b_1-a_2b_2-a_3b_3)^2$の部分が$(a_0b_0+a_1b_1+a_2b_2+a_3b_3)^2$となるように、置き換え

$$b_1\to -b_1,\qquad b_2\to -b_2,\qquad b_3\to -b_3$$

をすると、

$$(a_0{}^2+a_1{}^2+a_2{}^2+a_3{}^2)(b_0{}^2+b_1{}^2+b_2{}^2+b_3{}^2)$$
$$=(a_0b_0+a_1b_1+a_2b_2+a_3b_3)^2$$
$$+(a_1b_0-a_0b_1+a_3b_2-a_2b_3)^2$$
$$+(a_2b_0-a_3b_1-a_0b_2+a_1b_3)^2$$
$$+(a_3b_0+a_2b_1-a_1b_2-a_0b_3)^2$$

を得ます。右辺の後半の３つの項の２乗の中の式をA, B, Cと置きます。つまり、

$$A=a_1b_0-a_0b_1+a_3b_2-a_2b_3$$
$$B=a_2b_0-a_3b_1-a_0b_2+a_1b_3$$
$$C=a_3b_0+a_2b_1-a_1b_2-a_0b_3$$

それぞれを２乗すると、

$$A^2=(a_1b_0-a_0b_1)^2+(a_3b_2-a_2b_3)^2$$
$$+2(a_1b_0-a_0b_1)(a_3b_2-a_2b_3)$$
$$B^2=(a_2b_0-a_0b_2)^2+(a_1b_3-a_3b_1)^2$$
$$+2(a_2b_0-a_0b_2)(a_1b_3-a_3b_1)$$
$$C^2=(a_3b_0-a_0b_3)^2+(a_2b_1-a_1b_2)^2$$
$$+2(a_3b_0-a_0b_3)(a_2b_1-a_1b_2)$$

これらの右辺の第３項の和は、

$$2\{(a_1b_0-a_0b_1)(a_3b_2-a_2b_3)$$
$$+(a_2b_0-a_0b_2)(a_1b_3-a_3b_1)$$
$$+(a_3b_0-a_0b_3)(a_2b_1-a_1b_2)\}$$

となり、これは展開して計算すると０になります。

したがって、

$$
\begin{aligned}
&(a_0{}^2+a_1{}^2+a_2{}^2+a_3{}^2)(b_0{}^2+b_1{}^2+b_2{}^2+b_3{}^2)\\
&\quad=(a_0b_0+a_1b_1+a_2b_2+a_3b_3)^2\\
&\qquad+(a_1b_0-a_0b_1)^2+(a_3b_2-a_2b_3)^2+(a_2b_0-a_0b_2)^2\\
&\qquad+(a_1b_3-a_3b_1)^2+(a_3b_0-a_0b_3)^2+(a_2b_1-a_1b_2)^2
\end{aligned}
$$

となり、ラグランジュの恒等式が証明されました。

添え字を合わせるには、置き換え

$$
a_0 \to a_1, \qquad a_1 \to a_2, \qquad a_2 \to a_3, \qquad a_3 \to a_4
$$

を行うと、最初の式と同じになります。

この式の右辺の後半の６つの項の規則性は、記号$\begin{vmatrix} a & b \\ c & d \end{vmatrix}=ad-bc$を使うと次のようになり、分かりやすくなります。

$$
\begin{vmatrix} a_0 & b_0 \\ a_1 & b_1 \end{vmatrix}^2+\begin{vmatrix} a_0 & b_0 \\ a_2 & b_2 \end{vmatrix}^2+\begin{vmatrix} a_0 & b_0 \\ a_3 & b_3 \end{vmatrix}^2+\begin{vmatrix} a_1 & b_1 \\ a_2 & b_2 \end{vmatrix}^2
$$

$$
+\begin{vmatrix} a_1 & b_1 \\ a_3 & b_3 \end{vmatrix}^2+\begin{vmatrix} a_2 & b_2 \\ a_3 & b_3 \end{vmatrix}^2
$$

一般に、ラグランジュの恒等式は$2n$個の変数からなる恒等式ですが、$n=2,\ 3,\ 4$の場合は、それぞれ複素数、純虚四元数、四元数を用いて、積が大きさを保つ性質から導かれるというのは、興味深いといえます。

複素数から四元数を構成する

四元数は４つの実数の組で、ハミルトンが発見した積の法則から定義されますが、２つの複素数の組として定義することもできます。ここでは、実数から複素数を構成する「複素化」の考え方を一般化して、２つの複素数の組から四元数を構成することを考えてみます。

最初に、関係式$k=ij$を用いて、四元数を次のように変形します。

$$
\begin{aligned}
a+bi+cj+dk &= a+bi+cj+dij \\
&= a+bi+(c+di)j
\end{aligned}
$$

これにより、四元数$a+bi+cj+dk$を２つの複素数$a+bi$と$c+di$の組で表すことができました。ここで、$\alpha=a+bi$, $\beta=c+di$とおくと、四元数が

$$
\alpha+\beta j \qquad (\alpha,\ \beta \in \boldsymbol{C})
$$

の形で表現できたことになります。

２つの四元数を$\alpha+\beta j$, $\gamma+\delta j$（α, β, γ, $\delta \in \boldsymbol{C}$）と表したとき、和は、

$$
(\alpha+\beta j)+(\gamma+\delta j)=\alpha+\gamma+(\beta+\delta)j
$$

となります。ここで、δはギリシャ文字で、デルタと読みます。

それでは、積はどうでしょうか。四元数がこの形で表されたとき、積がどうなるのかを見てみましょう。

２つの四元数$\alpha+\beta j$, $\gamma+\delta j$に対して、積をとってみます。

$$
\begin{aligned}
(\alpha+\beta j)(\gamma+\delta j) &= \alpha\gamma+\alpha\cdot\delta j+\beta j\cdot\gamma \\
&\quad +\beta j\cdot\delta j
\end{aligned}
$$

ここで、右辺の第3項$\beta j\cdot\gamma$と第4項$\beta j\cdot\delta j$のjを右側に持ってくることを考えます。四元数は非可換なので、そのまま入れ替えることができないからです。

最初に、第3項$\beta j\cdot\gamma$のjを右側に持ってくることを考えます。

$$\gamma = e + fi \qquad (e, f \in \boldsymbol{R})$$

とおくと、

$$j\gamma = j(e+fi) = ej + fji = ej - fij = (e-fi)j$$

となり、$e-fi$はγの共役$\overline{\gamma}$を表しているので、

$$j\gamma = \overline{\gamma}j \qquad (\gamma \in \boldsymbol{C})$$

となります。すなわち、jと複素数を入れ替えるとき、複素数を共役にして入れ替えればよいことが分かりました。これは、四元数独特の計算方法です。

このことを用いると、第4項の$\beta j\cdot\delta j$は、

$$\beta j\cdot\delta j = \beta\overline{\delta}jj = -\beta\overline{\delta}$$

と変形できます。まとめると、次のようになります。

$$(\alpha + \beta j)(\gamma + \delta j)$$
$$= \alpha\gamma - \beta\overline{\delta} + (\beta\overline{\gamma} + \alpha\delta)j \qquad (\alpha, \beta, \gamma, \delta \in \boldsymbol{C})$$

これが、四元数を2つの複素数の組で表すときの、積の規則になるのです。

いまは四元数から出発して、2つの複素数の組で表しましたが、このプロセスを逆にたどれば、2つの複素数の組から

四元数を構成する方法になっています。

具体的には、２つの複素数α, βの組を座標の形式(α, β)で表して、和を通常のように成分ごとの和で定義します。

$$和：(\alpha, \beta)+(\gamma, \delta)=(\alpha+\gamma, \beta+\delta)$$

積は先ほどのように定義します。

$$積：(\alpha, \beta)(\gamma, \delta)=(\alpha\gamma-\beta\bar{\delta}, \beta\bar{\gamma}+\alpha\delta)$$

このとき、複素数の組(α, β)は、四元数$\alpha+\beta j$の和・積と同じ規則になることから、複素数の組と四元数は同一視できます。

$$同一視：(\alpha, \beta)\longleftrightarrow\alpha+\beta j$$

すなわち、２つの複素数の組から出発して、四元数を代数的に構成することができました。これは、ハミルトンが考えた実数の組から出発して、複素数を構成する「複素化」の方法の一般化といえます。

ここまでのまとめ

☆四元数におけるi, j, kの間の積の関係式

$$i^2=-1,\quad j^2=-1,\quad k^2=-1$$

$$ij=-ji=k,\quad jk=-kj=i,\quad ki=-ik=j$$

$$\Longleftrightarrow\quad i^2=j^2=k^2=ijk=-1$$

☆共役

$$\overline{a+bi+cj+dk}=a-bi-cj-dk$$

$$\overline{\overline{\alpha}}=\alpha,\quad \overline{\alpha+\beta}=\overline{\alpha}+\overline{\beta},\quad \overline{\alpha\beta}=\overline{\beta}\,\overline{\alpha}$$

☆内積

$$(\alpha,\ \beta)=\frac{1}{2}(\alpha\overline{\beta}+\beta\overline{\alpha})=\frac{1}{2}(\overline{\alpha}\beta+\overline{\beta}\alpha)$$

$$=aa'+bb'+cc'+dd'$$

☆大きさ

$$|\alpha|=\sqrt{(\alpha,\alpha)}=\sqrt{a^2+b^2+c^2+d^2}$$

☆積は大きさを保つ

$$|\alpha\beta|=|\alpha|\cdot|\beta|$$

☆積の逆元

０でない四元数 $\alpha=a+bi+cj+dk$ に対して、

$$\alpha^{-1}=\frac{\overline{\alpha}}{|\alpha|^2}=\frac{1}{a^2+b^2+c^2+d^2}(a-bi-cj-dk)$$

☆方程式 $x^2+1=0$ の解

実数の範囲では存在しない。

複素数の範囲では２つ存在する。

四元数の範囲では無数に存在する。

☆ラグランジュの恒等式

$$({a_1}^2+{a_2}^2)({b_1}^2+{b_2}^2)=(a_1b_1+a_2b_2)^2+(a_1b_2-a_2b_1)^2$$

$$\begin{aligned}&({a_1}^2+{a_2}^2+{a_3}^2)({b_1}^2+{b_2}^2+{b_3}^2)\\&\quad=(a_1b_1+a_2b_2+a_3b_3)^2+(a_1b_2-a_2b_1)^2+(a_1b_3-a_3b_1)^2\\&\quad+(a_2b_3-a_3b_2)^2\end{aligned}$$

$$\begin{aligned}&({a_1}^2+{a_2}^2+{a_3}^2+{a_4}^2)({b_1}^2+{b_2}^2+{b_3}^2+{b_4}^2)\\&\quad=(a_1b_1+a_2b_2+a_3b_3+a_4b_4)^2+(a_1b_2-a_2b_1)^2\\&\qquad+(a_1b_3-a_3b_1)^2+(a_1b_4-a_4b_1)^2+(a_2b_3-a_3b_2)^2\\&\qquad+(a_2b_4-a_4b_2)^2+(a_3b_4-a_4b_3)^2\end{aligned}$$

☆複素数の組から四元数を構成するときの積

$$(\alpha,\ \beta)(\gamma,\ \delta)=(\alpha\gamma-\beta\overline{\delta},\ \beta\overline{\gamma}+\alpha\delta)$$

第5章

四元数の森

～変換という観点から～

1．4次元空間の球を見る
～数と空間のはざまに～

四元数は4次元の世界

この項では、四元数を空間的に捉えることを考えます。最初に、複素数のときを思い出してみてください。複素数は平面上の点と対応しています。つまり、

$$a+bi \quad \longleftrightarrow \quad (a, b)$$

という対応を考えることで、複素数$a+bi$を平面上の点の座標(a, b)と同一視することができました。

同じように考えて、四元数$a+bi+cj+dk$に対して、座標(a, b, c, d)を対応させることができます。つまり、

$$a+bi+cj+dk \quad \longleftrightarrow \quad (a, b, c, d)$$

という対応です。

この対応は何を意味しているのでしょうか？

4つの実数の組からなる座標(a, b, c, d)、すなわち、この座標は4次元空間の点を表しているのです。それでは、4次

元空間とは何なのか、数学的に見ていきましょう。

平面からいきなり４次元に飛ぶと難しいので、３次元空間から考えてみます。

数学では、直線を１次元、平面を２次元、空間を３次元と定めます。「次元」の図形的な意味ですが、平面の「２」、空間の「３」というのは、直観的には、動ける自由度を表しています。

つまり、平面なら「タテ」と「ヨコ」の２方向に動くことができます。「いや、斜めにも動けるじゃないか」と思われるかもしれませんが、斜めの方向は、タテとヨコを合成することで作ることができます。ここでは、「タテ、ヨコ」という垂直に交わる２方向をとれるということが重要なのです。

それでは、空間はどうでしょうか。「タテ、ヨコ、高さ」の３方向をとると、それぞれ直交しています。どんなにタテやヨコに動いたとしても、上に動くことはできません。だから、空間の中を自由に動くためには、「タテ、ヨコ、高さ」の３方向が必要なのです。逆に、この直交する３方向を組み合わせることで、空間のどのような方向にも動くことができます。

このことはベクトルで考えると、数学的に正確に表現できます。平面の場合、x軸の正の方向に長さ１のベクトルをとり$\overrightarrow{e_1}$, y軸の正の方向に長さ１のベクトルをとり$\overrightarrow{e_2}$とします。座標で表すと、次のようになります。

$$\overrightarrow{e_1} = (1, 0), \qquad \overrightarrow{e_2} = (0, 1)$$

$\overrightarrow{e_1}$, $\overrightarrow{e_2}$を平面の**基本ベクトル**といいます。$\overrightarrow{e_1}$, $\overrightarrow{e_2}$は直交していて、大きさが１のベクトルです。そして、平面の任意の

点(a, b)は、

$$(a, b)=a\vec{e_1}+b\vec{e_2}$$

と表されます。すなわち、平面上のどんな点も$\vec{e_1}$, $\vec{e_2}$の合成として表されるのです。しかも、点(a, b)の$\vec{e_1}$, $\vec{e_2}$による表し方は、1通りです。数学では、「一意的」という言葉を使います。このことを式で表現すると、

$$a\vec{e_1}+b\vec{e_2}=a'\vec{e_1}+b'\vec{e_2} \quad \text{ならば} \quad a=a' \quad \text{かつ} \quad b=b'$$

となります。このような性質が成り立つとき、ベクトル$\vec{e_1}$, $\vec{e_2}$は**1次独立**であるといいます。

平面では「タテ、ヨコ」の垂直な2方向をとることができるといいましたが、ベクトルの言葉で正確に表現すると、「1次独立なベクトルの個数が2である」ということになります。直観的には、$\vec{e_1}$がヨコ、$\vec{e_2}$がタテとなっているわけです。

ただし、座標平面には、x軸の正の方向とy軸の正の方向があるだけで、タテ、ヨコという概念はありませんので、「直観的には」と書いているのです。

空間の場合も平面の場合と同じように考えます。空間では、

$$\vec{e_1}=(1, 0, 0), \quad \vec{e_2}=(0, 1, 0), \quad \vec{e_3}=(0, 0, 1)$$

を基本ベクトルといいます。$\vec{e_1}$, $\vec{e_2}$, $\vec{e_3}$は互いに直交していて、1次独立になっています。

ですから、空間の次元は「3」となります。直観的には、

$\overrightarrow{e_1}$がヨコ、$\overrightarrow{e_2}$がタテ、$\overrightarrow{e_3}$が高さというわけです。

それでは、４次元空間について考えてみましょう。４次元空間の点は、４つの実数の組(a, b, c, d)で表されます。このとき、

$$\overrightarrow{e_1} = (1, 0, 0, 0), \qquad \overrightarrow{e_2} = (0, 1, 0, 0),$$
$$\overrightarrow{e_3} = (0, 0, 1, 0), \qquad \overrightarrow{e_4} = (0, 0, 0, 1)$$

を４次元空間の基本ベクトルといいます。４次元空間の任意の点は、この基本ベクトルで表すことができます。具体的には(a, b, c, d)に対して、

$$(a, b, c, d) = a\overrightarrow{e_1} + b\overrightarrow{e_2} + c\overrightarrow{e_3} + d\overrightarrow{e_4}$$

と表されます。

このとき、直観的には、$\overrightarrow{e_1}$がヨコ、$\overrightarrow{e_2}$がタテ、$\overrightarrow{e_3}$が高さというわけです。ここまでは目に見えます。そして、$\overrightarrow{e_4}$が第４の方向となるのです。これは目に見えません。目に見えず、３次元空間に描くこともできないのですが、数学的には存在するのです。すなわち、４次元空間とは、タテ、ヨコ、高さの３方向に加えて、そのどれもと直交する第４の方向に動くことができる空間なのです。

ここで読者の方は、「あれっ？」と思われるかもしれません。なぜなら、タテ、ヨコ、高さの３方向に垂直な第４の方向など、空間のどこを探しても存在しないからです。そのような方向はどこにもないように思えます。しかしそれは、３次元空間の中で探しているから第４の方向が存在しないように思えるのです。

たとえば、平面上で「タテ、ヨコ」のどちらにも直交する第3の方向（高さのこと）を探したとします。しかし、平面上で第3の方向を探してもどこにもありません。それは、平面の外の世界に「第3の方向」が存在するからです。

これと同じで、3次元空間の中で、第4の方向をいくら探しても見つかりません。第4の方向は3次元空間の外に存在するのですから。

ところが、人間は3次元空間の中の生き物です。だから残念ながら、人間には第4の方向を見ることができないのです。人間には見えないけれど、数学的には4次元空間を定めることができるのです。

虚数のときもiは目に見えないけれど、数学的に存在すると仮定しました。それと同じで、4次元も目には見えないけれど、数学的には存在します。数学では、見えないものを感じることも大切なのです。というわけで、4次元空間を、

それぞれ直交する4つの方向を持ち、座標としては4つの実数の組で表される点の集まり

として定めることができます。そうすると、四元数は4次元空間の点と同一視できます。

ハミルトンは最初、複素数を超える数として、3次元空間の点を表す数を定めようと試行錯誤しましたがうまくいかず、4次元空間の点を表す数を発見したのです。複素数から四元数へと数が拡張され、空間の次元としては2次元から4次元へと上がっていきました。

私たちは、3次元空間に住んでいるので、感覚的に不思議

に思うかもしれませんが、物理学では空間３次元と時間１次元を合わせて、私たちの世界を４次元の時空だと捉えています。相対性理論では、４次元の時空にローレンツ変換が作用すると考えますが、このモデルを四元数で構築することができることも知られています。

球面を四元数で表現する

四元数を図形的な観点から見ていきましょう。次の関係式を見てください。

$$|\alpha|=1$$

これは四元数αの大きさが１であることを表しています。たとえば、四元数

$$\alpha=\frac{1}{2}+\frac{1}{2}i-\frac{1}{2}j-\frac{1}{2}k$$

の大きさは、

$$|\alpha|=\sqrt{\left(\frac{1}{2}\right)^2+\left(\frac{1}{2}\right)^2+\left(-\frac{1}{2}\right)^2+\left(-\frac{1}{2}\right)^2}$$

$$=\sqrt{\frac{1+1+1+1}{4}}$$

$$=1$$

となり１になります。

大きさが１である四元数の全体からなる集合を$Sp(1)$と表します。

$$Sp(1)=\{\alpha\in\boldsymbol{H}\mid|\alpha|=1\}$$

このような大きさが１である四元数αの全体は、どのような集合でしょうか？

大きさが１である四元数α, βに対して、

$$|\alpha\beta|=|\alpha|\cdot|\beta|=1\cdot1=1$$

となるので、$Sp(1)$は積に関して閉じています。さらに、結合法則や単位元１の存在、逆元の存在もいえて、群になることが分かります。四元数は交換法則を満たしませんので、非可換群となります。$Sp(1)$を**シンプレクティック群**といいます。

$Sp(1)$の図形としての側面を見るために、$\alpha=a+bi+cj+dk$として計算してみましょう。$|\alpha|=1$の両辺を２乗して、ルートを消すと次のような式になります。

$$a^2+b^2+c^2+d^2=1$$

これを満たすような実数a, b, c, dの全体が$Sp(1)$の正体です。

だんだん見えてきました。a, b, c, dはこの関係式を満たすように動くので、これらを変数と考えて、文字x, y, z, wで表すと次のようになります。

$$x^2+y^2+z^2+w^2=1$$

この式に見覚えはないでしょうか。そう、半径１の円の方程式に似ていますね。

$x^2+y^2=1$は、平面における円の方程式でした。円周を記号S^1で表します。平面は２次元ですが、円周は直観的には曲がった直線だと捉えることができるので、Sの右上に１を書きます。直線は１次元だからです。

$x^2+y^2+z^2=1$は、空間における球面の方程式でした。球面を記号S^2で表します。円周のときと同様に、空間は３次元ですが、球面は曲がった平面だと捉えることができるので、Sの右上に２を書きます。

これらのことから、$x^2+y^2+z^2+w^2=1$は、変数が１つ増えたわけですから、４次元空間における球面の方程式ということになります。

４次元空間における球面を記号ではS^3と書きます。球面の次元は、その球面が入っている空間の次元より、１つ下がるわけです。

以上のことから、大きさが１の四元数全体の集合$Sp(1)$は、４次元空間における球面S^3を表すことが分かりました。すなわち、４次元空間における球面S^3が、四元数を用いて、$|\alpha|=1$という式で表すことができたのです。

$$S^3=\{\alpha\in\boldsymbol{H}\mid|\alpha|=1\}$$

これは大きさが１の複素数の全体が平面における円周S^1を表していることに対応しています。

$$S^1=\{\alpha\in\boldsymbol{C}\mid|\alpha|=1\}$$

実数の場合も考えてみましょう。大きさが１である実数、

すなわち、$|\alpha|=1$である実数αは、$\alpha=\pm1$となります。そこで、1と-1からなる集合をS^0と書きます。

$$S^0=\{\alpha\in\boldsymbol{R}\mid|\alpha|=1\}=\{-1,1\}$$

S^0は2つの数字からなる集合ですが、数直線上の2点からなる集合とみなすこともできます。S^0を0次元の球面と呼びます。

まとめると、次のようになります。

$S^0=\{\alpha\in\boldsymbol{R}\mid|\alpha|=1\}$：0次元の球面（直線上）

$S^1=\{\alpha\in\boldsymbol{C}\mid|\alpha|=1\}$：1次元の球面（平面上）

$S^3=\{\alpha\in\boldsymbol{H}\mid|\alpha|=1\}$：3次元の球面（4次元空間内）

※カッコ内は、埋め込まれている空間を表している。

このように、実数、複素数、四元数で大きさが1のものを考えることで、0次元球面、1次元球面、3次元球面を表せることが分かりました。このことは、球面という幾何学的な対象が、数という代数的な対象で表されるという意義があります。このことから、0次元、1次元、3次元の球面には群の構造を与えることができます。これにより図形に対して、代数的なアプローチができるようになるのです。

ここで、0次元球面、1次元球面、3次元球面のうち、3次元球面は、4次元空間の中の球面です。4次元空間でさえ目に見えないのに、さらにその中の球面といわれても、想像ができないかもしれません。ただ、目に見えませんが、数学的には存在するのです。

それでは、４次元空間の球をイメージすることはできないのでしょうか？

次の項では、４次元空間の球をイメージする秘訣をお伝えします。

４次元の球をイメージしよう

私たちは、「タテ、ヨコ、高さ」のある３次元の世界に住んでいるので、４次元以上の世界は想像できません。それゆえに、４次元という言葉にはミステリアスな響きがあります。それでは、４次元はどんな世界でしょうか。

ここでは、数学的な視点から４次元空間の中の球面をイメージする方法を考えてみたいと思います。いきなり４次元は想像しにくいので、最初に、

「２次元平面をもとに３次元空間の球を想像する方法」

を考えてみます。

それでは、３次元空間における球を考えてみてください。シャボン玉のような球をイメージするといいでしょう。

もし、平面の世界（２次元の世界）にしか存在できない生物が存在したとします。さて、その生物は、３次元空間の球を見ることができるでしょうか？

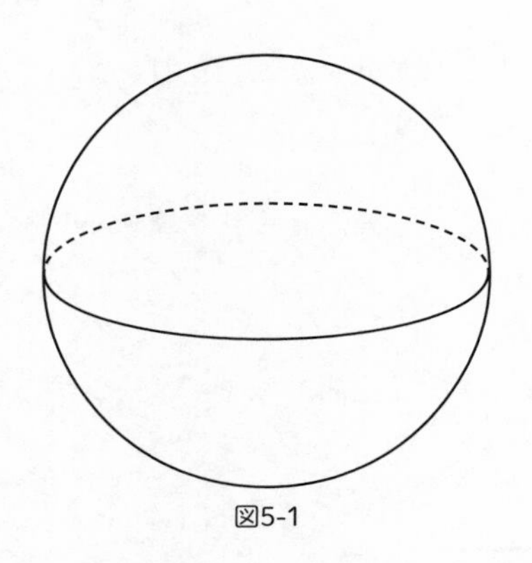

図5-1

答えは「ノー」です。なぜなら、平面の世界の生き物は、「タテとヨコ」が世界のすべてです。つまり、「高さ」を感じることができないので、３次元空間の球を見ることができないのです。それでは、どうすればいいのでしょうか。実は、目には見えなくても、２次元の生物が３次元空間の球をイメージする方法はあります。

それは、球をスライスすればいいのです。

球を切ったときの「切り口」は円になります。切り口の円は、平面上の図形なので、これなら２次元の生き物にも見ることができるのです！

やや直観的な表現ですが、

「球を真ん中あたりで切ると切り口は大きな円、
端のあたりで切ると小さな円になります」

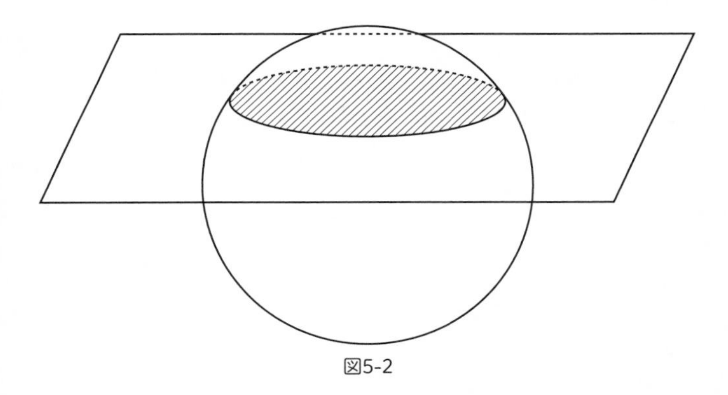

図5-2

このように、平面上の生き物にとって球自体は見えませんが、スライスした切り口は見えるのです。

ですから、小さな円板から大きな円板までを並べて、これら無数の円板の積み重ねが球になると、想像することができるのです。

このことから、私たち３次元の生物である人間が、４次元の球をイメージする方法が分かります。それは、

４次元の球の切り口を考えて、それを無数に積み重ねればよいのです。

これら円板をタテに積み重ねたら球になる

図5-3

ただし、「３次元空間の球の切り口は、２次元の円」というように、切り口は１つ次元が低い円（球）になることに注意すると、４次元空間の球の切り口は、「３次元空間の球」になります。

これが４次元の球をイメージするための鍵なのです。切り口が３次元の球になるということを、しっかりと念頭においてください。そうすれば、先ほどの「２次元の世界の生物が３次元の球を想像する方法」と同じようにして、３次元の生物の私たちも、４次元の球を想像することができます。具体的には、

「小さい３次元の球をだんだん大きくしていき、
半径が最大になったところで、次は小さくしていく」

そして、それを無数に積み重ねたものが４次元の球になるのです。

いかがでしたか。４次元の球がイメージできたでしょうか？　論理的にはこれが４次元の球なのですが、４番目の方向に沿って積み重ねるので、私たち人間には、はっきりとは

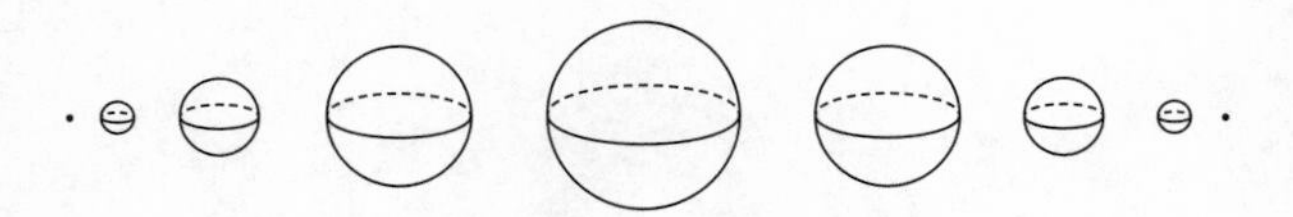

これらの球を４番目の方向に積み重ねたものが、
４次元の球になる！

図5-4

見えません。しかしながら、球を積み重ねたものとして、なんとなくイメージをすることができるのです。

ここまで直観的に、４次元の球をイメージする方法を説明してきましたが、私たち３次元の世界から４次元の世界を眺めることは、とても想像力をかき立てられます。これも数学の魅力の１つではないでしょうか。

2.4 次元の世界から 3 次元を眺める
〜空間における変換〜

「変換」という視点で捉える

変換とは、「点を点に移す対応」、または、「数を数に移す対応」のことをいいます。

たとえば、複素数の変換といえば、「複素数を複素数に移す対応」を表し、四元数の変換といえば、「四元数を四元数に移す対応」を表します。

本書では、考えている数の集合を明確にしたいとき、「複素数体$\boldsymbol{C}$の変換」、「四元数体$\boldsymbol{H}$の変換」という言葉遣いをします。

「変換」と「関数」は似ているので、紛らわしいかもしれませんので、違いを説明すると、一般に、

集合Aの各要素から集合Bの要素への対応を**写像**、
集合Aの各要素から集合Aの要素への対応を**変換**、
集合Aの各要素から数への対応（集合$\boldsymbol{R}$, $\boldsymbol{C}$, $\boldsymbol{H}$など）を**関数**

といいます。つまり、一般には写像という言葉を使い、もとの集合と移り先の集合が等しいときに変換、移り先が「数」

の場合を関数というのです。写像、変換、関数の違いを覚えておくといいでしょう。

さて、この項では0でない四元数qに対して、変換$f(x)=qxq^{-1}$の性質を考えていきます。変換$f(x)$は、「四元数xを四元数qxq^{-1}へ移す対応」のことを意味します。

この変換は、和、積、スカラー倍（実数倍）を保つことがわかります。

$$f(x+y)=q(x+y)q^{-1}=qxq^{-1}+qyq^{-1}=f(x)+f(y)$$
$$f(xy)=q(xy)q^{-1}=qxq^{-1}qyq^{-1}=f(x)f(y)$$
$$f(rx)=q(rx)q^{-1}=r(qxq^{-1})=rf(x) \qquad (r\text{は実数})$$

すなわち、

$$f(x+y)=f(x)+f(y),\quad f(xy)=f(x)f(y),\quad f(rx)=rf(x) \quad (r\text{は実数})$$

が成り立ちます。

また、この変換は異なる四元数を異なる四元数に移します。正確に表現すると、

$$x\neq y \quad \text{ならば} \quad f(x)\neq f(y)$$

となります。一般に、この性質を満たす写像のことを**単射**または**1対1の写像**といいます。この性質を証明するときは、対偶

$$f(x)=f(y) \quad \text{ならば} \quad x=y$$

の方が扱いやすいので、こちらを証明します。

実際、$f(x)=f(y)$とすると、$qxq^{-1}=qyq^{-1}$となり、両辺の左からq^{-1}を、右からqを掛けると$x=y$を得ます。

よって、変換$f(x)=qxq^{-1}$は単射になります。

次に、この変換は四元数全体を四元数全体に移すことを示します。正確に表現すると、

任意の四元数zに対して、適当な四元数xをとると、
$f(x)=z$となる

となります。一般に、この性質を満たす写像のことを**全射**または**上への写像**といいます。

実際、任意の四元数zに対して、適当な四元数を$q^{-1}zq$ととると

$$f(q^{-1}zq)=q(q^{-1}zq)q^{-1}=z$$

となり、全射であることが示されました。

単射であり、かつ、全射である変換のことを**全単射**といいます。つまり、$f(x)=qxq^{-1}$は、全単射な変換（写像）であることが証明されました。

以上をまとめると、次のようになります。

0でない四元数qに対して、変換$f(x)=qxq^{-1}$は和、積、スカラー倍（実数倍）を保つ全単射な変換である。
特に、qの大きさが1のときは、$q^{-1}=\overline{q}$となり、逆元と共役元が等しくなるので、$f(x)=qx\overline{q}$となる：

$$f(x) = qxq^{-1} = qx\overline{q} \qquad (|q| = 1\text{のとき})$$

逆に、次のことも知られています。

> 四元数体から四元数体への変換で、和、積、スカラー倍（実数倍）を保つ全単射な変換fは、０でない四元数qを用いて、$f(x) = qxq^{-1}$と表される。

すなわち、四元数体から四元数体への変換で、和、積、スカラー倍（実数倍）を保つ全単射な変換は$f(x) = qxq^{-1}$という形しか存在しないということが知られているのです。

このことを踏まえて、次からは四元数を用いた回転について考えてみましょう。

四元数を用いた鏡映

この項では、平面や空間における鏡映を見てみましょう。

平面において、ベクトル$\vec{a}$と垂直な直線に関する折り返しを「$\vec{a}$に垂直な直線に関する**鏡映**、または、**対称移動**」といいます。

空間においては、ベクトル$\vec{a}$と垂直な平面に関する折り返しを「$\vec{a}$に垂直な平面に関する**鏡映**、または、**対称移動**」といいます。

どちらの場合も、$\vec{a}$を**法線ベクトル**といいます。

最初に、平面上の鏡映を、ベクトルで考えてみましょう。大きさが1のベクトル$\vec{a}$と垂直な直線に関して、ベクトル$\vec{x}$を折り返したベクトルを$\vec{x}'$とします。

図5-5のように、ベクトル$\vec{x}$をベクトル$\vec{a}$へ正射影したベクトルを$\overrightarrow{\mathrm{OH}}$とします。

このとき、$\vec{a}$の大きさが1ですから、内積$(\vec{x}, \vec{a})$はOHの長さを表します。よって、$\overrightarrow{\mathrm{HO}}=-(\vec{x}, \vec{a})\vec{a}$となります（$\vec{a}$と$\vec{x}$のなす角が鈍角の場合は、$-(\vec{x}, \vec{a})$がOHの長さとなり、同様に、$\overrightarrow{\mathrm{HO}}=-(\vec{x}, \vec{a})\vec{a}$となります）。ここで、$\vec{x}'=\vec{x}+2\overrightarrow{\mathrm{HO}}$となるので、

$$\vec{x}'=\vec{x}-2(\vec{x}, \vec{a})\vec{a}$$

となります。

大きさが1のベクトル$\vec{a}$と垂直な直線に関して、ベクトル$\vec{x}$を折り返したベクトルを$\vec{x}'$とすると、

$$\vec{x}'=\vec{x}-2(\vec{x}, \vec{a})\vec{a}$$

である。

ベクトルの折り返しを、平面から平面への変換として捉えます。ここでは、複素平面で考え、複素数の変換として表現します。

ベクトル$\vec{x}$と複素平面上の点を同一視して、ベクトル$\vec{x}$, $\vec{a}$と対応する複素数をx, aと表記するとき、xをx'へ移す変換、すなわち、変換

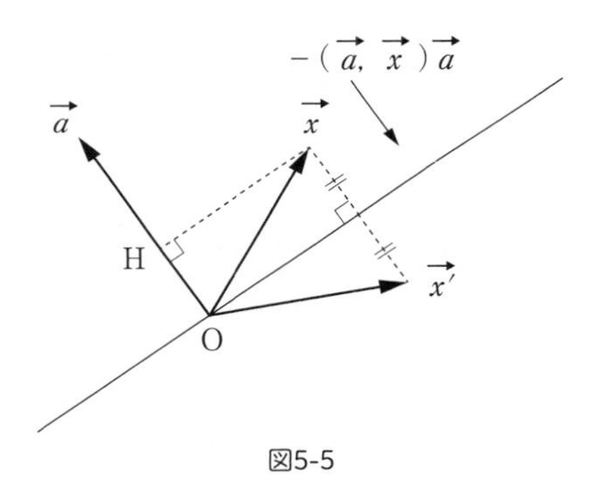

図5-5

$$f(x)=x-2(x, a)a$$

は、aに垂直な直線に関する鏡映を表しています。

次に、変換の満たすべき条件を考えていきましょう。以下、本書で変換といえば、和とスカラー倍を保つ変換を表すものとします。

大きさが１の複素数aに対して、平面上の変換$f(x)=x-2(x, a)a$は、次の２つの条件を満たすことが分かります。

(1)　$f(a)=-a$
(2)　$(x, a)=0$　ならば　$f(x)=x$

条件 (1) は、ベクトルaの向きが逆になるということを意味しています。条件 (2) の$(x, a)=0$は、内積(x, a)が０ですから、ベクトルaとxが垂直であることを意味しています。つまり、aと垂直なベクトルは変換fでそのまま動かないということを表しています。この２つの条件が鏡映の本質的な条件であるといえます。

この項の最初に、直線、または、平面に関する折り返しとして、鏡映を定義しましたが、この２つの条件を満たす和とスカラー倍を保つ変換を鏡映と定義することもできます。

実際、４次元以上の空間においては、目に見えませんので、こちらを鏡映の定義とする方が扱いやすいといえます。４次元以上の空間の場合、ベクトルaと垂直な平面のことを**超平面**と呼びます。

> 一般に、条件（1），（2）を満たす和とスカラー倍を保つ変換fを鏡映といい、このとき、fはaに垂直な超平面に関する折り返しを表す。

それでは、これらの定義をもとに、ベクトルの場合の鏡映を四元数の場合に一般化してみましょう。

大きさが１の四元数aに対して、変換fを、

$$f(x)=x-2(x,a)a \qquad (x\text{は四元数})$$

と定めると、鏡映の２つの条件を満たすことが分かります。

実際、

$$f(a)=a-2(a,a)a=a-2a=-a$$

となり条件（1）を満たします。また、

$$(x,a)=0\text{のとき、}f(x)=x-2(x,a)a=x-0=x$$

となり条件（2）も満たします。

よって、$|a|=1$のとき、変換$f(x)=x-2(x,\ a)a$は、（aに垂直な超平面に関する）鏡映になっています。

$f(x)$を具体的な形で書くと、次のようになります。

$$
\begin{aligned}
f(x) &= x-2(x,a)a = x-2\cdot\frac{x\overline{a}+a\overline{x}}{2}\cdot a \\
&= x-x\overline{a}a-a\overline{x}a = x-x-a\overline{x}a \\
&= -a\overline{x}a
\end{aligned}
$$

シンプルな形に変形できました。変換

$$f(x) = -a\overline{x}a$$

は、実数、複素数、四元数の場合の鏡映を表しています。それでは、実数、複素数、四元数のときをそれぞれ具体的に見てみましょう。

［Ｉ］実数の場合

実数のときは、直線から直線への変換となります。

$|a|=1$となるのは、$a=\pm1$のときです。どちらのときも、$a^2=1$となります。また、共役は自分自身と等しいので、$\overline{x}=x$となります。ゆえに、変換fは

$$f(x) = -a\overline{x}a = -a^2x = -x$$

となります。これは数直線上で、原点に対して対称な変換といえます。

［Ⅱ］複素数の場合

複素数のときは、平面から平面への変換となります。

$|a|=1$となるaに対して、

$$f(x)=-a\overline{x}a=-a^2\overline{x}$$

は、平面上の鏡映となります。複素数と平面の点を同一視することで、複素平面と座標平面のどちらで考えることもできます。

$$\text{同一視：}x=x+yi \quad \longleftrightarrow \quad (x, y)$$

たとえば、xy平面のx軸に関する対称移動を表す変換は、法線ベクトルを$(0,\ 1)$ととればよいので、$a=i$とします。すると、

$$-i^2(\overline{x+yi})=-(-1)(x-yi)=x-yi$$

となり、

$$(x, y) \quad \to \quad (x,\ -y)$$

となる変換なので、確かに、x軸に関する対称移動を表しています。

一般に、平面上の直線$y=mx$（mは実数）に関する対称移動を表す変換は、直線の方向$(1,\ m)$と垂直で大きさが1のベクトル$\frac{1}{\sqrt{m^2+1}}(m,\ -1)$を考えて、$a=\frac{m-i}{\sqrt{m^2+1}}$ととればよいことが分かります。

たとえば、直線$y=2x$に関する対称移動を表す変換は、

$$a=\frac{2-i}{\sqrt{5}}$$

として、

$$f(x+yi) = -a^2(\overline{x+yi})$$

を計算すると、

$$f(x+yi) = \frac{-3x+4y+(4x+3y)i}{5}$$

となります。

［Ⅲ］四元数の場合

四元数のとき、変換$f(x) = -a\overline{x}a$は４次元空間から４次元空間への鏡映となります。このとき、実数部分を０とすることで、３次元空間の鏡映を考えることができます。すなわち、次の同一視を考えます。

$$\text{同一視：}(x_1, x_2, x_3) \longleftrightarrow x = 0 + x_1 i + x_2 j + x_3 k$$

注意：空間の点$(x_1,\ x_2,\ x_3)$を、四元数$x_1 + x_2 i + x_3 j$と同一視する方が、複素平面の空間への自然な拡張となっていますが、純虚四元数$x_1 i + x_2 j + x_3 k$と同一視する方が、i, j, kの対称性があり扱いやすいため、通常はこちらで同一視します。

純虚四元数$x = x_1 i + x_2 j + x_3 k$に対しては、

$$\overline{x} = -x_1 i - x_2 j - x_3 k = -x$$

となるので、鏡映は、

$$f(x) = -a\overline{x}a = -a(-x)a = axa$$

となります。純虚四元数で考えることで、空間の鏡映がシンプルな式で表現できます。

3次元空間におけるxy平面に関する鏡映を考えてみましょう。法線ベクトルが$(0, 0, 1)$になるので

$$\text{同一視}：(0, 0, 1) \longleftrightarrow a=k$$

をすると、$f(x)=kxk$がxy平面に関する鏡映となります。これを計算すると、

$$f(x)=k(x_1i+x_2j+x_3k)k=(x_1j-x_2i-x_3)k=x_1i+x_2j-x_3k$$

となり、(x_1, x_2, x_3)を$(x_1, x_2, -x_3)$に移す変換となるので、確かにxy平面に関する鏡映を表していることが分かります。

同じように、yz平面に関する鏡映は$f(x)=ixi$, xz平面に関する鏡映は$f(x)=jxj$となります。まとめると、次のようになります。

・xy平面に関する鏡映
$x=x_1i+x_2j+x_3k$に対して、$f(x)=kxk$

・yz平面に関する鏡映
$x=x_1i+x_2j+x_3k$に対して、$f(x)=ixi$

・xz平面に関する鏡映
$x=x_1i+x_2j+x_3k$に対して、$f(x)=jxj$

※同一視：$(x_1, x_2, x_3) \longleftrightarrow x=x_1i+x_2j+x_3k$

空間の回転を四元数で表現しよう

この項からは、空間の回転を四元数で表すことを考えてみましょう。これ以降も、空間の点と純虚四元数を同一視します。

$$\text{同一視}：(a_1, a_2, a_3) \quad \longleftrightarrow \quad a_1 i + a_2 j + a_3 k$$

以下、空間の点と純虚四元数は同一視されているものとみなし、場合によっては同じ記号で表すことにします。たとえば、純虚四元数$\boldsymbol{a} = a_1 i + a_2 j + a_3 k$に対して、対応するベクトルのことを$\boldsymbol{a} = (a_1, a_2, a_3)$のように表記します。

最初に、四元数を用いた回転のプロセスを理解しやすいように、xy平面の具体的な回転の例から始めます。

一般に、平面と垂直なベクトルのことを、その平面の**法線ベクトル**といいますが、xy平面の法線ベクトルは$(0,\ 0,\ 1)$であり、純虚四元数kと同一視されます。

$$\text{法線ベクトル}(0, 0, 1) \quad \longleftrightarrow \quad \text{純虚四元数}k$$

いま、「kと$\overline{k}$ではさむという操作」が、どのような変換になるのか見てみましょう。たとえば、この操作でxy平面上の点$(1, 0, 0)$がどこに移るのかを計算してみます。

具体的には、xy平面上の点$(1, 0, 0)$を純虚四元数iと同一視して、

$$xy\text{平面上の点}(1, 0, 0) \quad \longleftrightarrow \quad \text{純虚四元数}i$$

$k i \overline{k}$を計算することになります。このとき、

$$k i \overline{k} = -kik = -jk = -i$$

となることから、

$$k i \overline{k} = -i \quad \longleftrightarrow \quad (-1, 0, 0)$$

となります。すなわち、「kと$\overline{k}$ではさむという操作」で、xy平面上の点$(1, 0, 0)$が$(-1, 0, 0)$に移ることが分かりました。実は、この操作はxy平面上の180°回転を表しています。

実際、xy平面上の点$(a,\ b,\ 0)$を純虚四元数$ai+bj$と同一視して、$k(ai+bj)\overline{k}$を計算すると、

$$\begin{aligned} k(ai+bj)\overline{k} &= -akik - bkjk \\ &= -ajk - bki \\ &= -ai - bj \end{aligned}$$

であり、

$$-ai - bj \quad \longleftrightarrow \quad (-a,\ -b, 0)$$

と同一視されることから、点$(a,\ b,\ 0)$が点$(-a,\ -b,\ 0)$に移ることが分かります。すなわち、「kと$\overline{k}$ではさむという操作」は、xy平面上の180°回転を表していることが示されました。

四元数を用いた回転

ここでは、一般の回転について考えます。

$\vec{n} = (n_1,\ n_2,\ n_3)$を空間内のベクトルとして、大きさを1にとっておきます。式で書くと$|\vec{n}| = 1$です。また、四元数qを

$$q = \cos\frac{\theta}{2} + \boldsymbol{n}\sin\frac{\theta}{2} \qquad (\boldsymbol{n} = n_1 i + n_2 j + n_3 k)$$

とおくと、qの大きさも１になります。なぜなら、

$$|q|^2 = \cos^2\frac{\theta}{2} + ({n_1}^2 + {n_2}^2 + {n_3}^2)\sin^2\frac{\theta}{2}$$
$$= \cos^2\frac{\theta}{2} + \sin^2\frac{\theta}{2} = 1$$

だからです。

このとき、「四元数qとその共役$\overline{q}$ではさむという操作」が、ベクトル$\vec{n}$と垂直な平面上の回転を表しています。すなわち、ベクトル$\vec{n}$と垂直な平面上で、$\vec{n}$の周りに空間の点（純虚四元数）xをx'へθ回転させる変換は、

$$x' = qx\overline{q}$$

で与えられます。

回転の向きは、回転する面から法線ベクトルを上に見たとき、反時計回りになります。たとえば、z軸が法線ベクトルのときは、xy平面において通常の正の向きの回転を与えます。

まとめると、次のようになります。

空間における回転

３次元空間において、法線ベクトル$\vec{n} = (n_1,\ n_2,\ n_3)$の周りに、$\theta$回転させる変換は、

$$x' = qx\overline{q}$$

で与えられる。ここで、

$$q = \cos\frac{\theta}{2} + n\sin\frac{\theta}{2} \qquad (n = n_1 i + n_2 j + n_3 k, \ |n| = 1)$$

とする。ただし、純虚四元数と空間の点を、次の対応で同一視する。

$$ai + bj + ck \quad \longleftrightarrow \quad (a, b, c)$$

この事実の証明は次項以降でします。ここでは具体的な使い方を見ていきましょう。

前項のxy平面上の180°回転の場合は、$n = k$であり、

$$q = \cos\frac{180^\circ}{2} + k\sin\frac{180^\circ}{2} = 0 + 1 \cdot k = k$$

となるので、

$$x' = kx\overline{k}$$

がxy平面上の180°回転を表しています。これは前項の結果と一致します。

次の例として、x軸の周りに角θだけ回転させることを考えてみましょう。法線ベクトルを$\vec{n} = (1, \ 0, \ 0)$と考えると、$n = 1 \cdot i + 0 \cdot j + 0 \cdot k = i$となります。

同一視：$(1, 0, 0) \quad \longleftrightarrow \quad i$

よって、

$$q = \cos\frac{\theta}{2} + i\sin\frac{\theta}{2}$$

とおくと、$x' = qx\overline{q}$が、x軸の周りのθ回転を表しています。

ためしに、yz平面上の点$(0, 1, 0)$を$90°$回転させてみましょう。

$$q = \cos\frac{90°}{2} + i\sin\frac{90°}{2} = \frac{1}{\sqrt{2}}(1+i)$$

であり、同一視

$$(0, 1, 0) \quad \longleftrightarrow \quad j$$

をして、$qj\overline{q}$を計算すると

$$qj\overline{q} = \frac{1}{\sqrt{2}}(1+i)j\frac{1}{\sqrt{2}}(1-i) = \frac{1}{2}(j+k)(1-i)$$

$$= \frac{1}{2}(j - ji + k - ki) = k$$

となり、kを空間の点で表すと$(0, 0, 1)$となります。したがって、確かにyz平面上の点$(0,\ 1,\ 0)$を$90°$回転させた点となっています。

xy平面、yz平面、zx平面における回転をまとめると次のようになります。ただし、zx平面における回転は、z軸の正の方向からx軸の正の方向への向きとなります。

・xy平面におけるθ回転

$$x' = qx\overline{q}, \qquad q = \cos\frac{\theta}{2} + k\sin\frac{\theta}{2}$$

・yz平面におけるθ回転

$$x' = qx\overline{q}, \qquad q = \cos\frac{\theta}{2} + i\sin\frac{\theta}{2}$$

・zx平面におけるθ回転

$$x' = qx\overline{q}, \qquad q = \cos\frac{\theta}{2} + j\sin\frac{\theta}{2}$$

※同一視：$ai + bj + ck \longleftrightarrow (a, b, c)$

このように、四元数を用いて空間の点を回転させることができます。

補足：本書では行列の内容には踏み込まないようにしていますが、理解の助けになるように、四元数を用いた回転と比べてみましょう。

空間の回転を表すためには３行３列の行列、つまり、９つの成分を持つ行列が必要になります。

一般に、大きさが１の法線ベクトル$n = (n_1,\ n_2,\ n_3)$の周りにθ回転させる行列は、次で与えられます。

$$\begin{pmatrix} \cos\theta + n_1^2(1-\cos\theta) & n_1n_2(1-\cos\theta) - n_3\sin\theta & n_1n_3(1-\cos\theta) + n_2\sin\theta \\ n_2n_1(1-\cos\theta) + n_3\sin\theta & \cos\theta + n_2^2(1-\cos\theta) & n_2n_3(1-\cos\theta) - n_1\sin\theta \\ n_3n_1(1-\cos\theta) - n_2\sin\theta & n_3n_2(1-\cos\theta) + n_1\sin\theta & \cos\theta + n_3^2(1-\cos\theta) \end{pmatrix}$$

眺めれば分かるように、とても複雑な形をしています。実際、コンピュータで空間の回転を処理をする際、行列より四元数を用いた方が、記憶容量が小さく、演算のスピードも速く行え、しかも、数として扱えるためとても便利なのです。

このため、コンピュータ・グラフィックスの分野では、四元数が用いられています。他にも、宇宙分野での制御理論、ロボット工学、信号処理、分子動力学、生物情報学など、様々な分野に四元数が普及してきています。

このことから、応用面では工学分野を中心に、四元数の認知度が少しずつ広がってきています。

回転であることの証明　～四元数からの計算～

この項では、前項の式が回転を表すことを証明します。

四元数$q=\cos\frac{\theta}{2}+n\sin\frac{\theta}{2}$を

$$q=q_0+q_1,\quad q_0=\cos\frac{\theta}{2},$$
$$q_1=(n_1i+n_2j+n_3k)\sin\frac{\theta}{2},\quad |n|=1$$

として、実数部分q_0と純虚四元数部分q_1に分けて考えます。

いま、$x'=x_1'i+x_2'j+x_3'k$として、$x'=qx\overline{q}$を計算し、これが回転を表していることを示します。

ここでも、記号が煩雑にならないようにするため、純虚四元数と空間の点を同一視した表記を用いることとします。たとえば、純虚四元数$n,\ x$に対して、対応するベクトル$\vec{n},\ \vec{x}$の外積$\vec{n}\times\vec{x}$を表すとき$n\times x$のように表記します。

いま、純虚四元数について、$\overline{q_1}=-q_1$であることに注意して$qx\overline{q}$を計算すると、

$$q x \bar{q} = (q_0 + q_1) x (\overline{q_0 + q_1}) = (q_0 + q_1) x (q_0 - q_1)$$
$$= q_0 x q_0 + q_1 x q_0 - q_0 x q_1 - q_1 x q_1$$

となります。

ここで、$q_0 x q_0$, $q_1 x q_0 - q_0 x q_1$, $-q_1 x q_1$ の３つの部分に分けて考えてみましょう。

［Ｉ］$q_0 x q_0$の部分

$q_0 = \cos\frac{\theta}{2}$ より、$q_0 x q_0 = \left(\cos^2\frac{\theta}{2}\right) x$となります。

［Ⅱ］$q_1 x q_0 - q_0 x q_1$の部分

$q_0 = \cos\frac{\theta}{2}$ は実数なので、前に出すことができるので、

$$q_1 x q_0 - q_0 x q_1 = \cos\frac{\theta}{2}\,(q_1 x - x q_1)$$

となり、純虚四元数の積を考えると、

$$q_1 x - x q_1 = 2(q_1 \times x) = 2\left(\sin\frac{\theta}{2}\right)(n \times x)$$

となります。よって、

$$q_1 x q_0 - q_0 x q_1 = 2\sin\frac{\theta}{2}\cos\frac{\theta}{2}\,(n \times x) = \sin\theta\,(n \times x)$$

を得ます。最後の変形は２倍角の公式 $\sin 2\alpha = 2\sin\alpha\cos\alpha$ において、$2\alpha = \theta$ とおくことで得られます。

［Ⅲ］ $-q_1xq_1$の部分

$-q_1xq_1=-\left(\sin^2\dfrac{\theta}{2}\right)nxn$となりますが、さらに、$nxn$を変形します。

xは純虚四元数なので、$\overline{x}=-x$となることから、内積$(n,\ x)$を考えると、

$$(n,\ x)=\frac{n\overline{x}+x\overline{n}}{2}=\frac{-nx+x\overline{n}}{2}$$

となります。両辺の右から$2n$を掛けると、

$$2(n,\ x)n=(-nx+x\overline{n})n=-nxn+x\overline{n}n=-nxn+x$$

よって、$-nxn=-x+2(n,\ x)n$となり、

$$-q_1xq_1=\left(\sin^2\frac{\theta}{2}\right)\{-x+2(n,\ x)n\}$$

を得ます。

［Ⅰ］［Ⅱ］［Ⅲ］より、

$$x'=\left(\cos^2\frac{\theta}{2}\right)x+\sin\theta\ (\vec{n}\times\vec{x})+\sin^2\frac{\theta}{2}\{-x+2(n,\ x)n\}$$

となります。ここで、xの項は、

$$x'=\left(\cos^2\frac{\theta}{2}\right)x-\left(\sin^2\frac{\theta}{2}\right)x=\left(\cos^2\frac{\theta}{2}-\sin^2\frac{\theta}{2}\right)x$$

$$=(\cos\theta)x$$

nの項は、

$$2\sin^2\frac{\theta}{2}(\boldsymbol{n},\boldsymbol{x})\boldsymbol{n}=(1-\cos\theta)(\boldsymbol{n},\boldsymbol{x})\boldsymbol{n}$$

となります。それぞれ2倍角の公式 $\cos 2\alpha=\cos^2\alpha-\sin^2\alpha$ と半角の公式 $\sin^2\frac{\alpha}{2}=\frac{1-\cos\alpha}{2}$ を用いています。

よって、

$$\boldsymbol{x}'=(\cos\theta)\boldsymbol{x}+\sin\theta(\boldsymbol{n}\times\boldsymbol{x})+(1-\cos\theta)(\boldsymbol{n},\boldsymbol{x})\boldsymbol{n}$$

となります。並べ替えると、次のようになります。

$$\boldsymbol{x}'=(1-\cos\theta)(\boldsymbol{n},\boldsymbol{x})\boldsymbol{n}+(\cos\theta)\boldsymbol{x}+\sin\theta(\boldsymbol{n}\times\boldsymbol{x})$$

この式は、($\boldsymbol{x}\neq 0$のとき)直交する3つのベクトル$\boldsymbol{n}, \boldsymbol{x}, \boldsymbol{n}\times\boldsymbol{x}$を用いて、$\boldsymbol{x}'$を表したときの成分が、$(1-\cos\theta)(\boldsymbol{n},\ \boldsymbol{x})$, $\cos\theta$, $\sin\theta$であることを示しています。

これを空間における(通常の)直交座標に直すと、複雑な式になりますが、$\boldsymbol{n}$, $\boldsymbol{x}$, $\boldsymbol{n}\times\boldsymbol{x}$で表した式は、このようにシンプルな形をしていることが分かります。

この式は四元数の式ですが、これを空間の点と同一視して、ベクトルで表示したものが、「法線ベクトル$\boldsymbol{n}$の周りにθ回転させる変換」を表していることを、次項で証明します。

回転であることの証明　～ベクトルによるアプローチ～

図5-6のように、法線ベクトル$\vec{n}$の周りに、$\overrightarrow{OP}$をθ回転させたベクトルを$\overrightarrow{OQ}$とします。

また、$\vec{n}$と垂直な平面上で、$\overrightarrow{OP}$を$\overrightarrow{OQ}$へ回転させるとき、

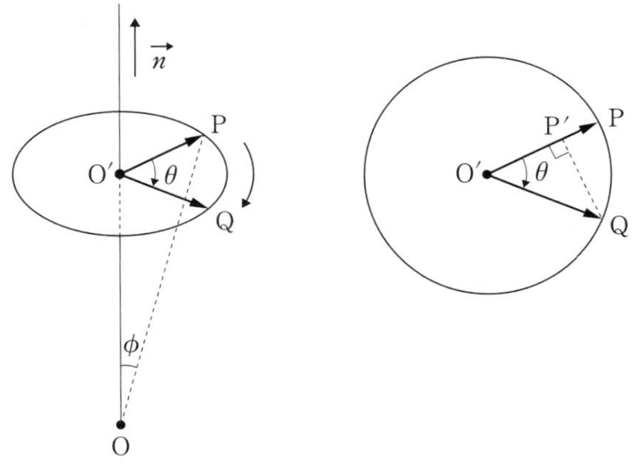

ベクトルによる回転　　　　　　　上から見た図

図5-6

回転の中心をO′とし、$\overrightarrow{\mathrm{O'Q}}$から$\overrightarrow{\mathrm{O'P}}$へ正射影したベクトルを$\overrightarrow{\mathrm{O'P'}}$とします。

射影が分かりやすいように、θが鋭角で負の向きの場合の図を描きましたが、他の場合も同様です。

このとき、ベクトル、$\overrightarrow{\mathrm{OQ}}$を

$$\overrightarrow{\mathrm{OQ}}=\overrightarrow{\mathrm{OO'}}+\overrightarrow{\mathrm{O'P'}}+\overrightarrow{\mathrm{P'Q}}$$

と分解して、$\overrightarrow{\mathrm{OO'}}$, $\overrightarrow{\mathrm{O'P'}}$, $\overrightarrow{\mathrm{P'Q}}$をそれぞれ、$\overrightarrow{\mathrm{OP}}$, $\vec{n}$, $\overrightarrow{\mathrm{OP}}\times\vec{n}$で表すことを考えます。

［Ｉ］ベクトル$\overrightarrow{\mathrm{OO'}}$について

$\overrightarrow{\mathrm{OO'}}$は、$\overrightarrow{\mathrm{OP}}$を$\vec{n}$に射影したベクトルと考えて、

$$\overrightarrow{OO'} = (\vec{n} \cdot \overrightarrow{OP})\vec{n}$$

を得ます。

［Ⅱ］ベクトル$\overrightarrow{O'P'}$について

$\overrightarrow{O'P} = \overrightarrow{OP} - \overrightarrow{OO'} = \overrightarrow{OP} - (\vec{n} \cdot \overrightarrow{OP})\vec{n}$となることから、

$$\overrightarrow{O'P'} = |O'Q|\cos\theta \cdot \frac{\overrightarrow{O'P}}{|O'P|} = (\cos\theta)\overrightarrow{O'P}$$

$$= \cos\theta\,(\overrightarrow{OP} - \overrightarrow{OO'}) = \cos\theta\,\{\overrightarrow{OP} - (\vec{n} \cdot \overrightarrow{OP})\vec{n}\}$$

を得ます。

［Ⅲ］ベクトル$\overrightarrow{P'Q}$について

$\overrightarrow{P'Q}$と$\overrightarrow{OP} \times \vec{n}$は平行なベクトルなので、

$$\overrightarrow{P'Q} = |O'Q|\sin\theta \frac{\overrightarrow{OP} \times \vec{n}}{|\overrightarrow{OP} \times \vec{n}|} = |O'P|\sin\theta \frac{\overrightarrow{OP} \times \vec{n}}{|\overrightarrow{OP} \times \vec{n}|}$$

となります。ここで、$\overrightarrow{OP}$と$\vec{n}$のなす角をϕとすると、

$$|\overrightarrow{OP} \times \vec{n}| = |\overrightarrow{OP}| \cdot |\vec{n}|\sin\phi = |\overrightarrow{OP}|\sin\phi = |\overrightarrow{OP}| \frac{|O'P|}{|OP|}$$
$$= |O'P|$$

となるので、

$$\overrightarrow{P'Q} = |O'P|\sin\theta \frac{\overrightarrow{OP} \times \vec{n}}{|\overrightarrow{OP} \times \vec{n}|} = \sin\theta\,(\overrightarrow{OP} \times \vec{n})$$

を得ます。

［Ⅰ］［Ⅱ］［Ⅲ］より、

$$\begin{aligned}\overrightarrow{\mathrm{OQ}} &= (\vec{n}\cdot\overrightarrow{\mathrm{OP}})\vec{n} + \cos\theta\,\{\overrightarrow{\mathrm{OP}} - (\vec{n}\cdot\overrightarrow{\mathrm{OP}})\vec{n}\} + \sin\theta\,(\overrightarrow{\mathrm{OP}}\times\vec{n}) \\ &= \cos\theta\,\overrightarrow{\mathrm{OP}} + (1-\cos\theta)(\vec{n}\cdot\overrightarrow{\mathrm{OP}})\vec{n} + \sin\theta\,(\overrightarrow{\mathrm{OP}}\times\vec{n})\end{aligned}$$

となります。

いま、θが鋭角のときの図を描いて証明をしましたが、場合分けをすることで、θが90°以上のときも、同様に証明できます。

ここで、回転の向きを考えます。図のように、法線ベクトル$\vec{n}$の周りに$\overrightarrow{\mathrm{OP}}$から$\overrightarrow{\mathrm{OQ}}$への角$\theta$の回転を考えると、負の向きになっています。そこで、θを$-\theta$で置き変えて、$\overrightarrow{\mathrm{OP}}\times\vec{n} = -\vec{n}\times\overrightarrow{\mathrm{OP}}$を用いると、

$$\begin{aligned}\overrightarrow{\mathrm{OQ}} &= \cos\theta\,\overrightarrow{\mathrm{OP}} + (1-\cos\theta)(\vec{n}\cdot\overrightarrow{\mathrm{OP}})\vec{n} \\ &\quad - \sin\theta\,(\overrightarrow{\mathrm{OP}}\times\vec{n}) \\ &= (1-\cos\theta)(\vec{n}\cdot\overrightarrow{\mathrm{OP}})\vec{n} + \cos\theta\,\overrightarrow{\mathrm{OP}} \\ &\quad + \sin\theta\,(\vec{n}\times\overrightarrow{\mathrm{OP}})\end{aligned}$$

を得ます。これは、四元数による前項の結果

$$x' = (1-\cos\theta)(n, x)n + (\cos\theta)x + \sin\theta\,(n\times x)$$

と同じ形をしています。このことから、四元数による前項の変換が空間の回転を表すことが証明されました。

鏡映と回転の関係を探る

この項では鏡映と回転の関係を見てみましょう。

・空間の場合

純虚四元数と空間の点を同一視して、２つの鏡映を合成した変換がどうなるのかを考えてみます。これは「折り返した後、さらに折り返す」ということを表しています。

いま、大きさが１の純虚四元数をu, vとして、u,vに関して垂直な平面に関する鏡映をそれぞれf,gとします。

$$f(x)=uxu, \qquad g(x)=vxv$$

変換fを施した後に変換gを施す変換を$g\circ f$と表し、fとgの**合成**といいます。このとき、純虚四元数xに対して、

$$\begin{aligned}(g\circ f)(x)&=g(f(x))=g(uxu)=vuxuv\\&=(vu)x(uv)\end{aligned}$$

となります。四元数は非可換ですから、uvとvuは等しいとは限りません。ですから一般に、変換$g\circ f$は、もはや鏡映ではありません。

u, vが大きさが１の純虚四元数であることに注意すると、

$$|vu|=|v|\cdot|u|=1, \qquad \overline{vu}=\overline{u}\,\overline{v}=(-u)(-v)=uv$$

となり、変換$g\circ f$は、

$$g\circ f(x)=(vu)x(\overline{vu}) \qquad (vu\text{は大きさが１の四元数})$$

と表されます。

一般に、空間における回転を表す変換は、純虚四元数と空間の点を同一視したとき、

$$x' = qx\bar{q} \qquad (q\text{は大きさが１の四元数})$$

で表されることを思い出すと、変換$g \circ f$は空間における回転を表すことが分かります。

２つの鏡映の合成が回転を表すことが分かりましたが、複素平面を用いて具体的に見てみましょう。

・平面の場合

大きさが１の複素数をa, bとして、a, bに関して垂直な直線に関する鏡映をそれぞれf, gとします。

$$f(x) = -a^2\bar{x}, \qquad g(x) = -b^2\bar{x}$$

このとき、鏡映fとgの合成$g \circ f$は、

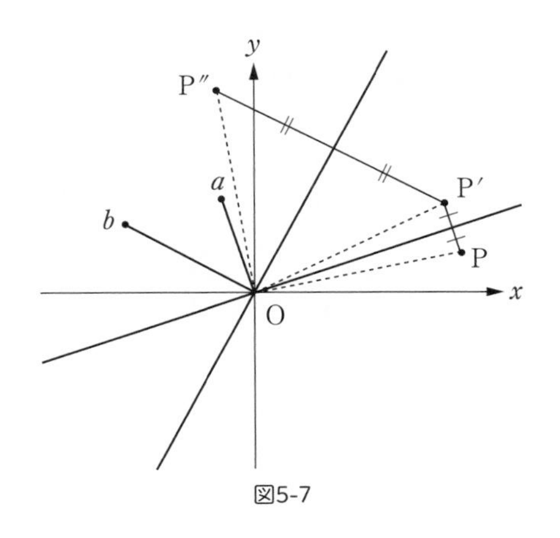

図5-7

$$(g\circ f)(x)=g(-a^2\overline{x})=-b^2(\overline{-a^2\overline{x}})=(\overline{a})^2b^2x$$

となります。複素数$(\overline{a})^2b^2$の大きさは、

$$|(\overline{a})^2b^2|=|\overline{a}|^2\cdot|b|^2=1^2\cdot1^2=1$$

となります。ゆえに、変換$g\circ f$は大きさが１の複素数$(\overline{a})^2b^2$を掛ける操作になるので、これは回転を表しています。

複素数a, bの偏角をそれぞれθ, ϕとすると、

$$(\overline{a})^2b^2=e^{-2i\theta}e^{2i\phi}=e^{2i(\phi-\theta)}$$

となるので、複素数$(\overline{a})^2b^2$の積は、角$2(\phi-\theta)$の回転を表しています。

平面、または空間において、２つの鏡映の合成は回転を表す。

オイラーの公式の四元数を用いた一般化

オイラーの公式を四元数の場合に一般化することを考えます。複素数の場合は$e^{i\theta}$を考えましたが、四元数の場合には、

$$e^{i\theta+j\phi+k\psi}\qquad(0\leqq\theta\leqq2\pi, 0\leqq\phi\leqq2\pi, 0\leqq\psi\leqq2\pi)$$

を考えます。

$e^{i\theta+j\phi+k\psi}$を決定するために、複素数の場合と同様、e^zのベキ級数展開

$$e^z=1+\frac{1}{1!}z+\frac{1}{2!}z^2+\frac{1}{3!}z^3+\cdots\qquad(5\text{-}1)$$

に$A=i\theta+j\phi+k\psi$を形式的に代入して計算してみます。

ここでは、複素数同様、証明の流れを理解することを目的としますので、収束性などの議論は省きます。

$A=i\theta+j\phi+k\psi$のベキ乗は、

$$
\begin{aligned}
&A^2=-(\theta^2+\phi^2+\psi^2), && A^3=-(\theta^2+\phi^2+\psi^2)A \\
&A^4=(\theta^2+\phi^2+\psi^2)^2, && A^5=(\theta^2+\phi^2+\psi^2)^2A \\
&A^6=-(\theta^2+\phi^2+\psi^2)^3, && A^7=-(\theta^2+\phi^2+\psi^2)^3A \\
&A^8=(\theta^2+\phi^2+\psi^2)^4, && A^9=(\theta^2+\phi^2+\psi^2)^4A \\
&\quad\cdots && \quad\cdots
\end{aligned}
$$

となります。ここで、$\Phi=\sqrt{\theta^2+\phi^2+\psi^2}$とおくと（$\Phi$は$\phi$の大文字です）、

$$
\begin{aligned}
&A^2=-\Phi^2, && A^3=-\Phi^2A, && A^4=\Phi^4, && A^5=\Phi^4A, \\
&A^6=-\Phi^6, && A^7=-\Phi^6A, && A^8=\Phi^8, && A^9=\Phi^8A, \\
&\quad\cdots && \quad\cdots && \quad\cdots && \quad\cdots
\end{aligned}
$$

となり、４回ごとに周期的に繰り返すことがわかります。
ベキが偶数のときと奇数のときを分けると、

$$
\begin{aligned}
&A^2=-\Phi^2, && A^4=\Phi^4, && A^6=-\Phi^6, && A^8=\Phi^8, && \cdots \\
&A^3=-\Phi^2A, && A^5=\Phi^4A, && A^7=-\Phi^6A, && A^9=\Phi^8A, && \cdots
\end{aligned}
$$

となるので、e^Aは次のようになります。

$$e^A = 1 + \frac{1}{1!}A + \frac{1}{2!}A^2 + \frac{1}{3!}A^3 + \frac{1}{4!}A^4 + \frac{1}{5!}A^5 + \frac{1}{6!}A^6 + \frac{1}{7!}A^7 + \frac{1}{8!}A^8 + \frac{1}{9!}A^9 + \cdots$$
$$= \left(1 - \frac{1}{2!}\Phi^2 + \frac{1}{4!}\Phi^4 - \frac{1}{6!}\Phi^6 + \frac{1}{8!}\Phi^8 - \cdots\right) + \left(\frac{1}{1!} - \frac{1}{3!}\Phi^2 + \frac{1}{5!}\Phi^4 - \frac{1}{7!}\Phi^6 + \frac{1}{9!}\Phi^8 - \cdots\right)A$$

ここで、三角関数$\sin z$, $\cos z$のベキ級数展開

$$\sin z = z - \frac{1}{3!}z^3 + \frac{1}{5!}z^5 - \frac{1}{7!}z^7 + \cdots$$

$$\cos z = 1 - \frac{1}{2!}z^2 + \frac{1}{4!}z^4 - \frac{1}{6!}z^6 + \cdots$$

を用いると、

$$e^A = \cos\Phi + \frac{A}{\Phi}\sin\Phi$$

と変形できます。$A = i\theta + j\phi + k\psi$を戻すと、

$$e^{i\theta + j\phi + k\psi} = \cos\Phi + \frac{i\theta + j\phi + k\psi}{\Phi}\sin\Phi$$

となり、$\Phi = \sqrt{\theta^2 + \phi^2 + \psi^2}$を戻すと、

$$e^{i\theta + j\phi + k\psi} = \cos\sqrt{\theta^2 + \phi^2 + \psi^2} + \frac{i\theta + j\phi + k\psi}{\sqrt{\theta^2 + \phi^2 + \psi^2}}\sin\sqrt{\theta^2 + \phi^2 + \psi^2}$$

となります。これで、オイラーの公式を四元数の場合に拡張することができました。

複素数の場合と四元数の場合のオイラーの公式を見比べてみましょう。

$$e^{i\theta} = \cos\theta + i\sin\theta$$

$$e^{i\theta + j\phi + k\psi} = \cos\sqrt{\theta^2 + \phi^2 + \psi^2} + \frac{i\theta + j\phi + k\psi}{\sqrt{\theta^2 + \phi^2 + \psi^2}}\sin\sqrt{\theta^2 + \phi^2 + \psi^2}$$

四元数の場合のオイラーの公式で、ϕとψを０とすると、複素数の場合のオイラーの公式になることがわかります。

また、四元数$e^{i\theta + j\phi + k\psi}$は、法線ベクトルを

$$\vec{n} = \frac{1}{\sqrt{\theta^2 + \phi^2 + \psi^2}}(\theta, \phi, \psi)$$

としたときの$2\Phi = 2\sqrt{\theta^2 + \phi^2 + \psi^2}$回転を表していることが分かります。これは複素数の場合、$e^{i\theta}$が複素平面上のθ回転を表していますが、四元数の場合は、純虚四元数と空間を対応させて回転させているため、$e^{i\theta}$を四元数とみなしたときは、法線ベクトルが(1, 0, 0)となりyz平面上の回転となります。四元数でxy平面上の回転を表すのは$e^{k\psi}$となります。θと2Φのように角が異なる理由は、複素数が$e^{i\theta}$を掛けて回転させるのに対し、四元数はqと$\overline{q}$ではさんで回転させるからです。つまり、回転させる方法の違いです。

ここでは、四元数の場合のオイラーの公式を導きましたが、実はここまで、四元数の指数を定義せずに形式的な計算をしてきました。ですから正確には、ベキ級数（5-1）で純虚四元数の場合のeのベキ乗を定義した場合、「オイラーの公式を拡張した形の公式が成り立つ」ことを示したことになります。

このようにオイラーの公式を四元数の場合に拡張できたことはきれいな結果だといえます。複素数の場合は、この後、複素関数論へと理論が発展し、さらなる深い結果が得られています。

しかしながら、四元数の場合の関数論（微分積分学）はあまり研究されておらず、これからどのように発展するのか分かりません。

四元数が複素数の拡張である本質的な数であるにもかかわらず、それほど広まっていない理由は、四元数が「非可換」であることが大きいと前に述べました。心理的な理由としては、非可換な数というのは感覚的に特殊に見えて、研究対象からはずしてしまいがちになるということです。数学的な理由としては、非可換な対象を扱う手法がまだ十分開発されていないこと（特に幾何学や関数論の分野）が挙げられます。

しかしながら、近年、四元数の有用性が分かってきて、少しずつ認知度も広がっています。現在のところ、四元数はベクトル解析やLie群の分野で有用なことが分かっています。また、工学や数理物理からのアプローチもあります。

ユークリッド幾何の始まりから約2000年後に微分積分学が起こり、数学が新たな発展を遂げたように、数学は100年もしくは1000年のスケールで進展していくことがあります。

ですから、将来、四元数の関数論や非可換幾何学が発展する可能性もありますが、現時点ではまだ未知数です。今後、四元数のさらなる発展を期待したいと思います。

変換と回転の関係を探ろう

大きさが1の法線ベクトル$\vec{n}=(n_1,\ n_2,\ n_3)$と垂直な平面上で、$\vec{n}$の周りに空間の点$x$を$x'$へ$\theta$回転させる変換は、

$$x'=qxq^{-1}=qx\overline{q}$$

で与えられました。ここで、$q=\cos\frac{\theta}{2}+n\sin\frac{\theta}{2}$　$(n=n_1i+n_2j+n_3k)$ であり、$|q|=1$とします。

この項では、この結果の逆を示します。すなわち、0でない任意の四元数qに対して、

$$x'=qxq^{-1}$$

という形の変換は、空間上の回転を表していることを証明します。

いま、0でない任意の四元数qに対して、

$$p=\frac{1}{|q|}q$$

とおくと、四元数qを自分自身の大きさで割っているので、四元数pの大きさは1となります。また、

$$qxq^{-1}=qx\frac{\overline{q}}{|q|^2}=\frac{q}{|q|}x\frac{\overline{q}}{|q|}=px\overline{p}$$

となるので、変換$x'=qxq^{-1}$は、大きさ１の四元数pを用いて、

$$x'=qxq^{-1}=px\overline{p}$$

と表されます。

ここで、$p=a_0+a_1i+a_2j+a_3k$とおくと、$|p|=1$より、

$$a_0^2+a_1^2+a_2^2+a_3^2=1$$

となります。$a_0^2=1-a_1^2-a_2^2-a_3^2$から$-1\leqq a_0\leqq 1$が分かるので、ある$\theta$（$0°\leqq\theta<360°$）を用いて、

$$a_0=\cos\frac{\theta}{2}$$

と表されます。

［Ｉ］θが$0°$, $360°$のとき

$\cos^2\frac{\theta}{2}=1$となり、$a_1^2+a_2^2+a_3^2=0$から$a_1=a_2=a_3=0$となります。

したがって、$p=1$となり変換$x'=px\overline{p}$は、

$$x'=px\overline{p}=x$$

となり、xを自分自身に移す変換であり、$0°$回転となります。

［Ⅱ］$\theta \neq 0°, 360°$のとき

関係式$\sin^2\frac{\theta}{2}+\cos^2\frac{\theta}{2}=1$を用いると、

$$a_1^2+a_2^2+a_3^2=1-a_0^2=1-\cos^2\frac{\theta}{2}=\sin^2\frac{\theta}{2} \qquad (5\text{-}2)$$

となります。いま、$\theta \neq 0°, 360°$から$\sin\frac{\theta}{2}\neq 0$であるから、実数$n_1, n_2, n_3$を

$$n_1=\frac{a_1}{\sin\frac{\theta}{2}}, \qquad n_2=\frac{a_2}{\sin\frac{\theta}{2}}, \qquad n_3=\frac{a_3}{\sin\frac{\theta}{2}}$$

とおくことができます。

$$a_1=n_1\sin\frac{\theta}{2}, \qquad a_2=n_2\sin\frac{\theta}{2}, \qquad a_3=n_3\sin\frac{\theta}{2}$$

を（5-2）へ代入して、両辺を$\sin^2\frac{\theta}{2}$で割ることで、

$$n_1^2+n_2^2+n_3^2=1$$

を得るので、$n=(n_1, n_2, n_3)$とおくと、nは大きさが１のベクトルになります。ゆえに、

$$\begin{aligned} p &= a_0+a_1i+a_2j+a_3k \\ &= \cos\frac{\theta}{2}+in_1\sin\frac{\theta}{2}+jn_2\sin\frac{\theta}{2}+kn_3\sin\frac{\theta}{2} \end{aligned}$$

となり、四元数pは、

$$p=\cos\frac{\theta}{2}+n\sin\frac{\theta}{2}$$

となります。よって、変換$x' = qxq^{-1} = px\bar{p}$は、法線ベクトル$n$の周りの回転を表します。

以上のことから、次のことが証明されました。

0でない任意の四元数qに対して、

$$x' = qxq^{-1}$$

という形の変換は、空間の回転を表す。

一般に、四元数の変換で、和、積、スカラー倍（実数倍）を保つ全単射な変換fは、0でない四元数qを用いて、$f(x) = qxq^{-1}$と表されることが知られています。

四元数体から四元数体への、和、積、スカラー倍（実数倍）を保つ全単射な変換の全体を$\mathrm{Aut}(\boldsymbol{H})$と書きます。また、3次元空間の回転を表す変換の全体を$\mathrm{SO}(3)$と書くと

$$\mathrm{Aut}(\boldsymbol{H}) = \mathrm{SO}(3)$$

が成り立ちます。イコールは両者を同一視できるという意味のイコールです。

さらに、qと$-q$は同じ回転を表すので、「大きさが1の四元数」と「回転を表す変換」が、2：1に対応していることが分かります。

すなわち、3次元空間の回転は、「和、積、スカラー倍を保つ全単射な四元数の変換」として特徴づけられるのです。

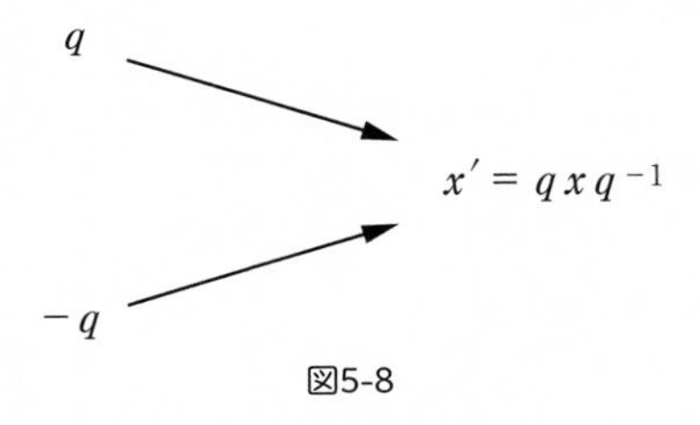

図5-8

ここまでのまとめ

☆四元数$a+bi+cj+dk$と４次元空間の点の座標(a, b, c, d)を対応させることができる。

同一視：$a+bi+cj+dk \longleftrightarrow (a, b, c, d)$

☆４次元空間における３次元球面の方程式

$$x^2+y^2+z^2+w^2=1$$

☆四元数体Hの変換$f(x)=x-2(x,\ a)a=-a\overline{x}a$は、４次元空間においてaに垂直な超平面に関する鏡映である。ただし、$|a|=1$。

「同一視：$(x_1,\ x_2,\ x_3) \longleftrightarrow x=x_1i+x_2j+x_3k$」により、３次元空間における鏡映になる。

☆２つの鏡映の合成は回転を表す。

☆四元数体Hの変換$f(x)=qxq^{-1}$は、全単射であり、和、積、スカラー倍（実数倍）を保つ$(q\neq0)$。

逆に、全単射で、和、積、スカラー倍（実数倍）を保つ四元数体$\boldsymbol{H}$の変換fは、０でない四元数qを用いて、$f(x)=qxq^{-1}$と表される。
特に、$|q|=1$のとき、$f(x)=qxq^{-1}=q\overline{x}\overline{q}$となる。

☆法線ベクトル$n=(n_1, n_2, n_3)$と垂直な平面上で、nの周りに空間の点(純虚四元数)xをx'へθ回転させる変換は、

$$q=\cos\frac{\theta}{2}+n\sin\frac{\theta}{2} \quad (n=n_1i+n_2j+n_3k)$$ とするとき、

$$x'=qxq^{-1}=qx\overline{q} \qquad (|q|=1)$$

で与えられる。

逆に、０でない任意の四元数qに対して、

$$x'=qxq^{-1}$$

である形の変換は、空間上の回転を表している。

☆四元数の場合のオイラーの公式

$$e^{i\theta+j\phi+k\psi}=\cos\sqrt{\theta^2+\phi^2+\psi^2} + \frac{i\theta+j\phi+k\psi}{\sqrt{\theta^2+\phi^2+\psi^2}}\sin\sqrt{\theta^2+\phi^2+\psi^2}$$

このとき$q=e^{i\theta+j\phi+k\psi}$とおくと、
$x'=qx\overline{q}$は法線ベクトルを $\vec{n}=\dfrac{1}{\sqrt{\theta^2+\phi^2+\psi^2}}(\theta,\phi,\psi)$としたときの$2\Phi=2\sqrt{\theta^2+\phi^2+\psi^2}$回転を表している。

第6章

八元数の湖

～八元数の世界～

1. 八元数を定義する
～不思議な積の法則～

グレイブスとケーリーによる八元数の発見

四元数は、1843年にハミルトンによって発見されましたが、ハミルトンはその日、友人の数学者グレイブスに手紙を書きました。最初、四元数の存在意義に当惑していたグレイブスでしたが、すぐに、さらなる拡張に取りかかります。

そして、同じ年の年末、グレイブスは四元数を拡張した八元数を発見しました。彼は八元代数（octaves）と名付け、ハミルトンに手紙を送りました。ハミルトンは、グレイブスへの返事で、

「四元数A, B, Cに対しては、$A(BC)=(AB)C=ABC$が成立するが、あなたの八元数に対しては同様のことが成立しない」

と指摘しました。ハミルトンがこのとき初めて「結合的（associative）」という用語を発明しました。八元数の発見によって、「結合」という概念が、数学において浮き彫りになってきたのです。

ハミルトンは、グレイブスによる八元数の発表に協力すると約束しましたが、自身の四元数の研究による多忙のため、八元数の発表が遅れました。

そのような状況において、グレイブスとは独立に八元数を発見したケーリーが、1845年の論文で先に発表しました。慌てたグレイブスもすぐに論文を発表し、論文の後記に、

「1843年のクリスマスには、私は八元数を知っていた」

とつけ加え、ハミルトンもグレイブスの主張を保証しました。

しかし、時すでに遅し、八元数はケーリー数として世に広まっていました。

このような経緯を考えると、本来は、「グレイブス＝ケーリー数」と呼ぶべきなのかもしれません。ただし、現在では八元数という名が広く使われるようになっています。

八元数とは？

それでは八元数がどんな数なのかを見ていきましょう。四元数は２乗すると -1 となる３個の文字 i, j, k を用いて定義しましたが、八元数は２乗すると -1 となる７個の文字

$$e_1, e_2, e_3, e_4, e_5, e_6, e_7$$

を用いて、

$$a_0+a_1e_1+a_2e_2+a_3e_3+a_4e_4+a_5e_5+a_6e_6+a_7e_7$$
$$(a_i\text{は実数}) \qquad (6\text{-}1)$$

と定めます。具体的には、八元数は、

$$2+5e_1, \qquad 3+2e_1-6e_4+4e_7, \qquad 1+3e_2+8e_3-e_6+4e_7$$

のように表されます。

これまでの流れだと、八元数は７個の文字 i, j, k, l, m, n, o を用いて、

$$3+2i+5j-k+2l+4m-7n+o$$

のように表記する方が、四元数の拡張であることが分かりやすいのですが、これではどの記号が何番目なのかが分かりにくいので、通常は $e_1, e_2, e_3, e_4, e_5, e_6, e_7$ を用いて

$$3+2e_1+5e_2-e_3+2e_4+4e_5-7e_6+e_7$$

と表記します。

以後、八元数を（6-1）のように書いた場合、特に断りがなくても、a_i は実数であるとします。

八元数の和は、

$$(2+5e_1-e_2+3e_7)+(1+2e_1+4e_5+6e_7)$$
$$=3+7e_1-e_2+4e_5+9e_7$$

のように実数の部分は実数の部分どうし、e_i の係数は e_i の係数どうしの和をとります。

積の定義を説明します。各 e_i は２乗すると -1 と定めます。

$$e_i^2 = -1 \qquad (i = 1, 2, 3, \cdots, 7)$$

次に、e_1, e_2, e_3の間の積をi, j, kと同じ関係式で定めます。すなわち、次のように定めます。

$$e_2e_3 = -e_3e_2 = e_1, \quad e_3e_1 = -e_1e_3 = e_2, \quad e_1e_2 = -e_2e_1 = e_3$$

他の（向きを含めた）６組

$$e_1, e_7, e_6, \qquad e_2, e_5, e_7, \qquad e_3, e_6, e_5,$$
$$e_1, e_4, e_5, \qquad e_2, e_4, e_6, \qquad e_3, e_4, e_7$$

も同じようにi, j, kと同じ関係式で定めます。たとえば、e_1, e_7, e_6の積は、

$$e_7e_6 = -e_6e_7 = e_1, \quad e_6e_1 = -e_1e_6 = e_7, \quad e_1e_7 = -e_7e_1 = e_6$$

のように定めます。このように和と積を定めた数を**八元数**（octonion）と呼び、八元数の全体からなる集合を記号$\boldsymbol{O}$で表し**八元数体**といいます。

乗積表は次のようになります。

	e_1	e_2	e_3	e_4	e_5	e_6	e_7
e_1	-1	e_3	$-e_2$	e_5	$-e_4$	$-e_7$	e_6
e_2	$-e_3$	-1	e_1	e_6	e_7	$-e_4$	$-e_5$
e_3	e_2	$-e_1$	-1	e_7	$-e_6$	e_5	$-e_4$
e_4	$-e_5$	$-e_6$	$-e_7$	-1	e_1	e_2	e_3
e_5	e_4	$-e_7$	e_6	$-e_1$	-1	$-e_3$	e_2
e_6	e_7	e_4	$-e_5$	$-e_2$	e_3	-1	$-e_1$
e_7	$-e_6$	e_5	e_4	$-e_3$	$-e_2$	e_1	-1

表の見方は、四元数のときと同様、「左端の縦のラインを左、上端の横のラインを右」にして積をとります。

たとえば、左端のe_4と上端のe_5が交差しているところにe_1がありますので、$e_4e_5=e_1$となります。

乗積表を見ると、対角線上に-1が並び、対角線に関して対称の位置では符号が逆（反対称）になっています。

積と関係する不思議な図形が現れる

八元数の積は図形を用いて、定義することができます。

正三角形に円が内接している図を考えます。各線と円周には矢印で向きが定められていて、各頂点、辺の中点、円の中心に図6-1のようにe_iを配置します。

このとき、円周上のe_1, e_2, e_3の間の積をi, j, kと同じ関係式で定義します。すなわち、$e_2e_3=e_1, e_3e_1=e_2, e_1e_2=e_3$となりま

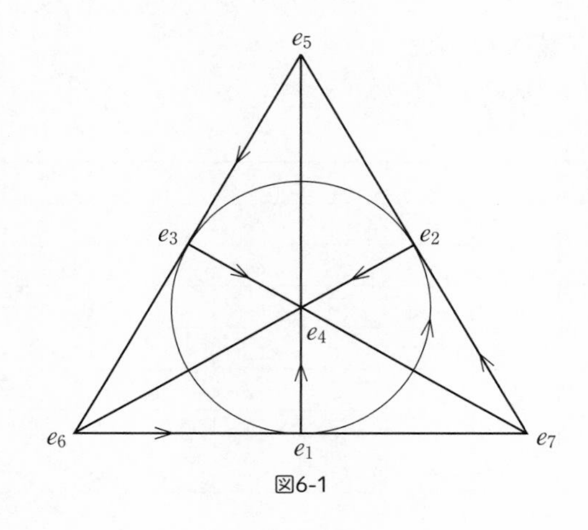

図6-1

す。他の（向きを含めた）6本の線上でも同じように定めます。たとえば、左の線上のe_5, e_3, e_6の間では$e_3e_6=e_5$, $e_6e_5=e_3$, $e_5e_3=e_6$となります。このように積を定めると、先ほどの乗積表の積と一致します。

このような正三角形と円を組み合わせた（矢印のない）図形は、ファノ平面と呼ばれていて、射影幾何学で現れる射影平面です。八元数の積とファノ平面（射影平面）が結びついているというのは、とても不思議な事実です。

このように、八元数の積とファノ平面が関係していることは分かっていますが、これは単なる偶然なのか、それともその背後に何か深遠な真理が潜んでいるのか、そこまでは今の時点では分かっていません。

法則性が崩れていく

それでは、八元数の積の性質を見てみましょう。積は$e_2e_3=-e_3e_2$と定めたので、交換法則を満たさないことが分かります。次に、e_1, e_2, e_4の積を計算してみます。

$$(e_1e_2)e_4=e_3e_4=e_7$$
$$e_1(e_2e_4)=e_1e_6=-e_7$$

となり、$(e_1e_2)e_4$と$e_1(e_2e_4)$が異なることが分かります。

$$(e_1e_2)e_4\neq e_1(e_2e_4)$$

すなわち、結合法則を満たさないのです。これは八元数で最も特徴的な性質です。

注意してほしいのは、e_1, e_2, e_3の間では、$(e_1e_2)e_3=-1$, e_1

$(e_2e_3)=-1$となり、結合法則が成り立ちます。このように常に結合法則が成り立たないわけではなく、1つでも成り立たない例があれば、その数の体系は結合法則を満たさないといいます。

複素数から四元数へ拡張されると交換法則が崩れ、四元数から八元数へ拡張されると結合法則が崩れるのです。

交換法則や結合法則は、私たちにとって親しみやすく馴染みのある性質ですから、「数を拡張しても成り立つのでは？」という思いがあるかもしれませんが、どうやら数の世界の法則は、そのようにできていないようです。

それでは、八元数の除法はどうでしょうか？

除法を調べるために、八元数の共役から考えてみましょう。八元数

$$a=a_0+a_1e_1+a_2e_2+a_3e_3+a_4e_4+a_5e_5+a_6e_6+a_7e_7$$

に対して、

$$\overline{a}=a_0-a_1e_1-a_2e_2-a_3e_3-a_4e_4-a_5e_5-a_6e_6-a_7e_7$$

を八元数aの**共役**と定め、$\overline{a}$で表します。

ここで、$a\overline{a}$を計算してみます。通常のように展開をして計算するのですが、8×8=64個の項が出てきます。そこで、規則性を考えて展開をします。

まず、同じ項どうしの積は、

$$a_0^{\ 2},\quad (a_i e_i)(-a_i e_i) = -a_i^{\ 2} e_i^{\ 2} = a_i^{\ 2}$$
$$(i=1, 2, 3, \cdots, 7)$$

となり、すべて$a_i^{\ 2}$ $(i=0, 1, 2, \cdots, 7)$となります。

異なる項どうしの展開は、$(a_1e_1)(-a_2e_2)$と$(a_2e_2)(-a_1e_1)$のように、ペアで計算すると、

$$(a_1e_1)(-a_2e_2) + (a_2e_2)(-a_1e_1)$$
$$= -a_1a_2e_3 + a_1a_2e_3 = 0$$

となり、打ち消しあうことが分かります。他のペアの項も同じです。

したがって、次のようになります。

$$a\overline{a} = a_0^{\ 2} + a_1^{\ 2} + a_2^{\ 2} + a_3^{\ 2} + a_4^{\ 2} + a_5^{\ 2} + a_6^{\ 2} + a_7^{\ 2}$$

同様の計算で、$\overline{a}a = a\overline{a}$を確かめることができます。

四元数の場合と同様に、$a\overline{a}$の正の平方根をとったものを八元数aの**大きさ**と定め、$|a|$で表します（$a=0$のときは大きさは0と定めます）。

$$|a| = \sqrt{a_0^{\ 2} + a_1^{\ 2} + a_2^{\ 2} + a_3^{\ 2} + a_4^{\ 2} + a_5^{\ 2} + a_6^{\ 2} + a_7^{\ 2}}$$

これは複素数や四元数の大きさを拡張した形になっています。

aが0でないとき、$\overline{a}a = a\overline{a} = |a|^2$のそれぞれの辺を$|a|^2$で割ると、

$$\left(\frac{\overline{a}}{|a|^2}\right)a = a\left(\frac{\overline{a}}{|a|^2}\right) = 1$$

となり、$\frac{\overline{a}}{|a|^2}$が$a$の逆元であることが分かります。

$$a^{-1}=\frac{\overline{a}}{|a|^2} \qquad (a \neq 0)$$

したがって、０でない八元数には逆元が存在し、八元数の全体は除法で閉じていることが分かりました。

ここまでをまとめると、八元数は積に関する結合法則と交換法則は成り立ちませんが、四則演算ができ、分配法則が成り立ち、数としての性質を持っているといえます。

2. 八元数の探究
～８次元の世界～

八元数は８次元の世界

八元数体$\boldsymbol{O}$は、次の同一視により、８次元空間とみなすことができます。

$$\text{同一視：} a_0 + a_1e_1 + a_2e_2 + a_3e_3 + a_4e_4 + a_5e_5 + a_6e_6 + a_7e_7 \longleftrightarrow (a_0, a_1, a_2, a_3, a_4, a_5, a_6, a_7)$$

この同一視で、八元数は８次元空間の点と対応しています。これは８次元空間のベクトルともいえます。ですから、八元数の大きさは、８次元空間のベクトルの大きさと考えることができます。

次に内積を定義します。八元数

$$a = a_0 + a_1e_1 + a_2e_2 + a_3e_3 + a_4e_4 + a_5e_5 + a_6e_6 + a_7e_7$$
$$b = b_0 + b_1e_1 + b_2e_2 + b_3e_3 + b_4e_4 + b_5e_5 + b_6e_6 + b_7e_7$$

に対して、**内積**を次のように定義します。

$$(a, b) = a_0b_0 + a_1b_1 + a_2b_2 + a_3b_3 + a_4b_4 + a_5b_5 + a_6b_6 + a_7b_7$$

これも大きさと同様、複素数や四元数の内積を拡張した形になっています。これは、８次元空間の中のベクトルの内積と考えることができます。

大きさは、内積を用いて次のように表されます。

$$|a| = \sqrt{(a, a)}$$

八元数の積は、大きさを保つことを確かめることができます。

$$|ab| = |a| \cdot |b|$$

証明は割愛しますが、a, b, ab を

$$a = a_0 + a_1e_1 + a_2e_2 + a_3e_3 + a_4e_4 + a_5e_5 + a_6e_6 + a_7e_7$$
$$b = b_0 + b_1e_1 + b_2e_2 + b_3e_3 + b_4e_4 + b_5e_5 + b_6e_6 + b_7e_7$$
$$ab = c_0 + c_1e_1 + c_2e_2 + c_3e_3 + c_4e_4 + c_5e_5 + c_6e_6 + c_7e_7$$

と表して、２乗の形 $|a|^2 \cdot |b|^2 = |ab|^2$ を書き下すと、次のようになります。

$$(a_0^2 + a_1^2 + a_2^2 + a_3^2 + a_4^2 + a_5^2 + a_6^2 + a_7^2)$$
$$(b_0^2 + b_1^2 + b_2^2 + b_3^2 + b_4^2 + b_5^2 + b_6^2 + b_7^2)$$
$$= c_0^2 + c_1^2 + c_2^2 + c_3^2 + c_4^2 + c_5^2 + c_6^2 + c_7^2$$

このように、八元数は大きさや内積を定義することができ、８次元空間と自然に結びついているのです。

それでは、八元数と球面のつながりを見てみましょう。

大きさが1の四元数全体の集合

$$S^3 = \{\alpha \in \boldsymbol{H} \mid |\alpha| = 1\}$$

は、4次元空間における3次元球面S^3を表していましたが、これは八元数の場合にも同様のことがいえます。

いま、大きさが1の八元数全体の集合をS^7と書くと、S^7は8次元空間内の7次元の球面を表しています。

$$S^7 = \{\alpha \in \boldsymbol{O} \mid |\alpha| = 1\}$$：8次元空間内の7次元の球面

8次元空間になると、もう目に見えませんので、イメージできないかもしれませんが、8次元空間における球面S^7が、八元数を用いて、$|\alpha| = 1$というシンプルな式で表すことができたのです。

まとめると、0次元、1次元、3次元、7次元の球面は、それぞれ実数、複素数、四元数、八元数を用いて、大きさが1である数の全体として表すことができるのです。

四元数から八元数を構成する

第4章で2つの複素数の組から四元数を構成することを考えましたが、同じ方法によって、2つの四元数の組から八元数を構成することができます。この項では、そのことを見ていきましょう。

関係式$e_1e_4 = e_5$, $e_2e_4 = e_6$, $e_3e_4 = e_7$を用いると、八元数は次のように変形できます。

$$
\begin{aligned}
x &= a_0 + a_1e_1 + a_2e_2 + a_3e_3 + a_4e_4 + a_5e_5 + a_6e_6 + a_7e_7 \\
&= a_0 + a_1e_1 + a_2e_2 + a_3e_3 + (a_4 + a_5e_1 + a_6e_2 + a_7e_3)\,e_4
\end{aligned}
$$

したがって、四元数α, βを用いて、八元数は

$$x = \alpha + \beta e_4 \quad (\alpha, \beta \in \boldsymbol{H})$$

と表されることが分かります。

和は通常のように、

$$(\alpha + \beta e_4) + (\gamma + \delta e_4) = \alpha + \gamma + (\beta + \delta)e_4$$

となります。

このとき、積は次のようになります。

$$(\alpha + \beta e_4)(\gamma + \delta e_4) = \alpha\gamma - \overline{\delta}\beta + (\beta\overline{\gamma} + \delta\alpha)e_4$$

２つの複素数の組から四元数を構成したとき、α，β，γ，δは複素数でしたから、これらの積の順序は気にする必要がありませんでした。しかし、ここではα，β，γ，δは四元数です。ですから、今の場合は、α，β，γ，δの順序もこの通りでなければいけません。

しかも、八元数ですから３つ以上の数を掛けるときは、結合法則が成り立つとは限らないので、そのあたりも注意して、慎重に計算しなければならないのです。

いまの構成法を、形式的な形でまとめてみます。

２つの四元数α，βの組を座標の形式(α, β)で表して、和を通常のように成分ごとに定義します。

$$和：(\alpha,\ \beta)+(\gamma,\ \delta)=(\alpha+\gamma,\ \beta+\delta)$$

積は次のように定義します。

$$積：(\alpha,\ \beta)(\gamma,\ \delta)=(\alpha\gamma-\overline{\delta}\beta,\ \beta\overline{\gamma}+\delta\alpha)$$

２つの数の組に対して、このように和と積を定めて、あたらしい数（代数）を定義する方法を、**ケーリー＝ディクソンの構成法**といいます。

実は、ケーリー＝ディクソンの構成法を用いると、実数から複素数、複素数から四元数、四元数から八元数と順次構成していくことができるのです。その際、四元数や八元数になると、可換性や結合性が失われていくのです。

また、「元の数が可換で共役が自分自身」になるとき、ケーリー＝ディクソンの構成法は、複素化のプロセスと一致します。実数はこの条件を満たすので、実数から複素数へ拡張した複素化のプロセスは、ケーリー＝ディクソンの構成法とみなすこともできるのです。

いま、四元数の組$(\alpha,\ \beta)$は、八元数と次の対応で同一視できます。

$$同一視：(\alpha,\ \beta)\ \longleftrightarrow\ \alpha+\beta e_4$$

ただし、四元数は$a_0+a_1e_1+a_2e_2+a_3e_3$と表されているものとします。

具体的な対応は、

$$
\begin{array}{lll}
(1, 0) \longleftrightarrow 1, & (e_1, 0) \longleftrightarrow e_1, & (e_2, 0) \longleftrightarrow e_2, \\
(e_3, 0) \longleftrightarrow e_3, & (0, 1) \longleftrightarrow e_4, & (0, e_1) \longleftrightarrow e_5, \\
(0, e_2) \longleftrightarrow e_6, & (0, e_3) \longleftrightarrow e_7 &
\end{array}
$$

となります。

実際に、これらの積を考えることで、ケーリー＝ディクソンの構成法による四元数の組が、八元数と同じ積の関係式を満たすことを確かめることができます。たとえば、

$$(0, e_2)(0, e_1) = (-\overline{e_1}e_2, 0) = (e_1e_2, 0) = (e_3, 0)$$

となりますが、これは八元数の積$e_6e_5 = e_3$を表しています。他にも、

$$(e_2, 0)(0, 1) = (0, e_2) \quad \longleftrightarrow \quad e_2e_4 = e_6$$

のように、ケーリー＝ディクソンの構成法で定義した２つの四元数の組が、八元数になっていることが分かります。

八元数をさらに拡張できるのか

八元数を発見したグレイブスは、さらに、16次元の数で、積が大きさを保つものを構成しようと試みました。しかし、困難に遭遇して、ハミルトンへの手紙に、「16次元で構成を試みたが、可能であることに疑いを持ち始めた」と記しています。

果たして、16次元の数は存在するのでしょうか？

実は、積が大きさを保つような16次元の数は存在しないことが証明されています。より一般的に、次のように述べることができます。

実数体の有限次元の拡張で、結合法則を必ずしも仮定しない体をなすものは、実数体$\boldsymbol{R}$, 複素数体$\boldsymbol{C}$, 四元数体$\boldsymbol{H}$, 八元数体$\boldsymbol{O}$の４つに限る。

この予想は数学の位相幾何学という分野で重大な関心事でしたが、1951年にドイツ生まれのオランダの数学者フロイデンタールが内積が定義されているという条件のもとに証明し、1958年にイギリスの数学者アダムスが一般の場合に証明しました。

すなわち、数の拡張は八元数で終わりであることが証明されたのです。

ただし、「体」であるという条件を崩せば、非結合な積を定めることで、16次元や32次元の（非結合な）環を構成していくことは可能です。ここでは、実数体の有限次元の拡張（正確には、実数体上の有限次元ベクトル空間という意味）で体になるという条件を満たすのは、$\boldsymbol{R}$, $\boldsymbol{C}$, $\boldsymbol{H}$, $\boldsymbol{O}$の４つに限るということが証明されたのです。

つまり、この条件を満たすものを「数」と解釈すれば、「数の拡張の最終形が八元数である」ということがいえたのです。

八元数の積の法則の探究

八元数は結合法則が成り立ちませんが、特別な形の数の組に関しては、結合法則が成り立つことを確かめることができます。具体的には、a, a, bの３つの組や$a, \overline{a}, b$の３つの組に関しては、結合法則が成り立ちます。

式で書くと次のようになります。

$$(aa)b=a(ab),\quad (ab)a=a(ba),\quad b(aa)=(ba)a$$
$$(a\overline{a})b=a(\overline{a}b),\quad (ab)\overline{a}=a(b\overline{a}),\quad b(a\overline{a})=(ba)\overline{a}$$

一般に、結合法則の代わりに、$(aa)b=a(ab)$, $b(aa)=(ba)a$が成り立つ代数のことを**交代代数**（alternative algebra）といいます。

一般に、和と積で環となり、さらにスカラー倍が定義されていて、いくつかの条件を満たす数学的な対象を代数または多元環といいます。

このことから、八元数の全体$\boldsymbol{O}$を交代代数と呼ぶのが正確な表現ですが、慣例的に、八元数体や八元数環、非結合な斜体などと呼ぶこともあります。

４つの八元数に関しては、

$$(ab)(\overline{b}\,\overline{a})=a(b\overline{b})\overline{a},\quad (ab)(ca)=a(bc)a$$

が成り立ちます。最初の式は、

$$(ab)(\overline{b}\,\overline{a})=a(b\overline{b})\overline{a}\quad\Longleftrightarrow\quad |ab|=|a|\cdot|b|$$

となり、八元数の積は大きさを保つという式を表しています。２つ目の式$(ab)(ca)=a(bc)a$は、**ムーファンの公式**といわれています。このような規則性（ムーファン・ループ）を発見した20世紀のドイツの数学者ムーファンの名にちなんで名づけられました。

このように、八元数は結合法則よりやや弱い条件をいくつも満たします。また、大きさや内積、共役を定義でき、積は大きさを保ちます。

これらのことから、八元数にもとづいて「数」の解釈を考えると、結合法則より、「大きさや共役が定義され、積が大きさを保つ」という性質の方が、「数」にとっては本質的なのかもしれません。

一般に、内積や大きさ、共役が定義され、積が大きさを保ち、内積と共役の間に

$$(\alpha, \beta) = \frac{1}{2}(a\overline{\beta} + \beta\overline{\alpha}) = \frac{1}{2}(\overline{\alpha}\beta + \overline{\beta}\alpha)$$

の関係がある（必ずしも結合的とは限らない）代数を、**フルヴィッツ代数**（Hurwitz algebra）と呼びます。ドイツの数学者フルヴィッツの名にちなんで名づけられました。

八元数は結合法則を満たしませんが、交代代数やフルヴィッツ代数の観点から研究することができるのです。

また、八元数の積をムーファンの法則から探究することもできます。

一般に、必ずしも結合法則を仮定しない集合Qと演算の組が、単位元と逆元の公理を満たし、Qの任意の元a, b, cに対

八元数に対して、次の諸公式が成り立つ。

1. $\overline{\overline{a}} = a, \quad \overline{a+b} = \overline{a} + \overline{b}, \quad \overline{ab} = \overline{b}\,\overline{a}$

2. $(aa)b = a(ab), \quad (ab)a = a(ba), \quad b(aa) = (ba)a$

$(a\overline{a})b = a(\overline{a}b), \quad (ab)\overline{a} = a(b\overline{a}), \quad b(a\overline{a}) = (ba)\overline{a}$

3. $(ab)(\overline{b}\,\overline{a}) = a(b\overline{b})\overline{a} \quad \Leftrightarrow \quad |ab| = |a| \cdot |b|$

$((ab)a)c = a(b(ac))$　（左ムーファンの法則）

$((ca)b)a = c(a(ba))$　（右ムーファンの法則）

$(a(bc))a = (ab)(ca) = a((bc)a)$　（ムーファンの法則）

4. $(ab)c + b(ca) = a(bc) + (bc)a$

$(ab)c + (ac)b = a(bc) + a(cb)$

$(ab)c + (ba)c = a(bc) + b(ac)$

5. $|a|^2 = (a, a) = a\overline{a} = \overline{a}a$

$(a, b) = \frac{1}{2}(a\overline{b} + b\overline{a}) = \frac{1}{2}(\overline{a}b + \overline{b}a)$

6. $(a, b) = (b, a) = (\overline{a}, \overline{b}) = (\overline{b}, \overline{a})$

$(ab, ab) = (a, a)(b, b)$

$(ab, ac) = (a, a)(b, c) = (ba, ca)$

$(a, b)(c, d) = \frac{1}{2}\{(ac, bd) + (ad, bc)\}$

7. $(ab, c) = (b, \overline{a}c)$

$(ba, c) = (b, c\overline{a})$

図6-2　八元数の諸公式

して、次の条件

（ｉ）$((ab)a)c=a(b(ac))$　（左ムーファンの法則）
（ii）$((ca)b)a=c(a(ba))$　（右ムーファンの法則）
（iii）$(a(bc))a=(ab)(ca)=a((bc)a)$　（ムーファンの法則）

を満たすとき、**ムーファン・ループ**と呼ばれます。これは、結合法則の代わりに、結合法則を少し弱めた条件に置き換えた群であるといえます。

たとえば、結合法則を満たすなら、上の条件は明らかに満たすので、すべての群はムーファン・ループになっています。

０以外の八元数の全体も積に関してムーファン・ループとなります。また、大きさが１の八元数の全体も積に関してムーファン・ループとなっています。

ムーファン・ループは、射影平面との関連から、ムーファンによって導入されました。

ここまで、八元数の積が満たす性質を探究してきましたが、八元数に対して成り立つ諸公式を、図6-2に挙げておきます。八元数は結合法則を満たさないため、計算がやっかいなのですが、これらの諸公式を用いて計算をすることができます。

不思議なループが浮き彫りになった

八元数の積の性質を用いて、

関係式：$xy=z$

を変形していくと、次のようになります。

$$xy=z \rightarrow zy^{-1}=x \rightarrow z^{-1}x=y^{-1}$$
$$\rightarrow y^{-1}x^{-1}=z^{-1} \rightarrow yz^{-1}=x^{-1} \rightarrow x^{-1}z=y$$

最後の式$x^{-1}z=y$の両辺の左からxを掛けると$xy=z$となり、もとの式に戻ります。すなわち、関係式$xy=z$は6通りの方法で書くことができることが分かりました。これを、この関係式の**六つ組**といいます。

結合法則が成り立てば、当たり前のような式変形ですが、非結合な八元数においても、慎重に計算することで、これらの関係式が導かれ、六つの組の存在が浮き彫りになったのです。

ここで、対称性が分かりやすいように、zをz^{-1}におき換えます。すると、1つとびに

$$\cdot\ xy=z^{-1} \rightarrow zx=y^{-1} \rightarrow yz=x^{-1}$$
$$\cdot\ z^{-1}y^{-1}=x \rightarrow y^{-1}x^{-1}=z \rightarrow x^{-1}z^{-1}=y$$

という2つの規則的なループが現れます。

これらを六角形の各頂点に配すると図6-3のようになります。

2つのループを点線で結ぶと、2つの三角形が逆に重なった形が六角形の中にでき上がりました。これは一般に「六芒星（ろくぼうせい）」といわれている図形です。

いま、$xy=z$と$xyz^{-1}=1$は、同値な関係式であることが分かります。

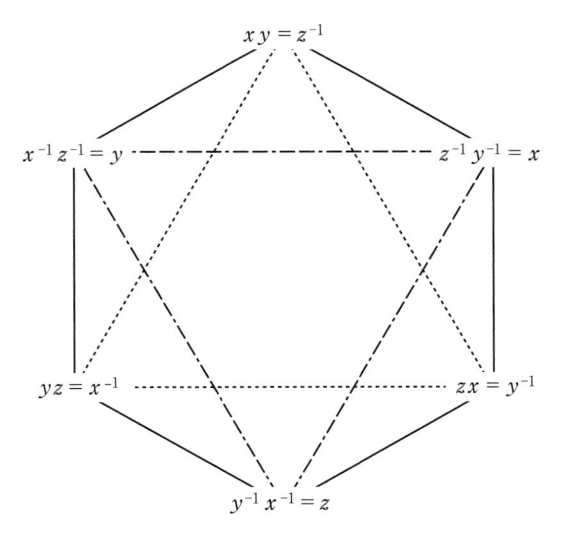

図6-3

$$xy = z \iff xyz^{-1} = 1$$

$xy = z$と$xyz^{-1} = 1$を、それぞれ、この同値な関係式の**二重形式**、**三重形式**と呼びます。

いま、このようなループ（図形）が現れるという結果を説明しましたが、「なぜこのようなループが現れるのか？」という意味（理由）は、よく分かりません。それなりの説明をすることはできるかもしれませんが、決定的な意味はよく分からないということです。

一般に、数学では、定理や命題、公式といった結果を導くことに比べて、その意味づけをすることは難しいのです。

たとえば、日常生活でも、「今何時ですか？」と聞かれたら、時計を見ればすぐに答えることができます。ところが、「時間とは何ですか？」と聞かれると、たちまち答えられなくなります。このように、事実に比べて、意味を解明することは容易ではないといえます。ですから、本書では、ループを六角形に並べて、その中の規則的な２つのループを点線で結ぶと「六芒星」が現れるという事実のみを紹介するにとどめ、その意味までは踏み込まないこととします。今後の研究に期待しましょう。

数の拡張のまとめ

本書では、自然数から出発して八元数までの数の拡張について、数学的な観点から見てきました。次の章では、八元数の発展や応用について概要を説明しますが、その前に本項で、数の拡張について大きな視点からまとめておきます。

数の拡張を歴史的に見ると、古代メソポタミアの60進法から始まり、現代では八元数まで拡張されました。

古代メソポタミアの60進法と現代の八元数の違いは何でしょうか？

数の拡張のまとめとして、ここではそのようなことを考えてみます。

古代メソポタミアの時代、ネイピア数eや虚数は発見されていませんでしたが、円周率や$\sqrt{2}$は知られており、近似計算が行われていました。経済活動では、利率から複利計算なども行われていました。もしかすると、実用的な計算に限れば、現代とそれほど変わらなかったのかもしれません。

では逆に、古代メソポタミアの時代と現代の数学を比べて、数の扱い方で決定的に違うのは、どのような点でしょうか。

現代の数学における数へのアプローチの特徴を、大きな視点から考えると、次のようにまとめることができます。

1．証明の概念が明確なこと
2．文字の表記が確立したこと
3．公理的なアプローチをすること
4．集合論の用語で記述されること

古代メソポタミアでは、実用的な計算技術は発達していました。ところが、古代ギリシャにおいて、証明の概念が数学の中心に据えられました。ユークリッドの『原論』がその象徴的な著作です。そこでは、少ない公理から、図形や数の性質を証明していきます。$\sqrt{2}$についても、近似計算だけでなく、無理数であることが古代ギリシャ時代に発見されました。このように証明の概念が数学の中心に鎮座するようになったことが、古代メソポタミアから現代の数学へ移り変わる大きな第一歩でした。

次に、文字の表記の発展です。数式を言葉で表現するのでは、その解法に限界があります。デカルトによる現代的な文字の表記法の確立により、数学は大きく進歩しました。

３番目の公理的なアプローチとは、ここでは群や体といった抽象代数学の手法を指します。古代メソポタミアの時代は、「数は計算をする対象としての数」でした。ところが、抽象代数学の発展により、数と演算の性質を抽象化してとらえるようになりました。たとえば、１つ１つの実数を考えるのではなくて、実数の全体を$\boldsymbol{R}$として、結合法則や交換法則、分配法則などを満たすことから、$\boldsymbol{R}$に可換体としての構造を与えました。これにより、「数の集まり」を抽象的な手法で扱うことが可能になりました。

そして、公理的なアプローチを支える基盤として、集合論が数学を記述する言語になったことです。特に、代数学では式の変形は集合論の用語で表現されます。

すなわち、「証明の概念」「文字の確立」「公理的（抽象的）な手法」「集合論の用語」が現代における数へのアプローチの特徴といえるのです。これらの枠組みにおいて、現代では八元数を数学的に定義し、その性質を調べることができるようになりました。

古代メソポタミアの時代から長い年月をかけて発展してきた数の概念を、ここまで数学的な観点から見てきましたが、読者の皆さんに、5000年の知恵の結晶を感じていただけたら幸いです。

それでは、次の章では八元数のさらなる発展や応用の可能性について、その概要を説明します。

ここまでのまとめ

☆八元数の全体Oは、非結合な斜体である。このような代数を交代代数という。

☆八元数の積は、ファノ平面に向きを与えることで定義することができる。

☆八元数体Oは、次の同一視により、8次元空間とみなすことができる。

同一視：$a_0+a_1e_1+a_2e_2+a_3e_3+a_4e_4+a_5e_5+a_6e_6+a_7e_7$

$$\longleftrightarrow \quad (a_0, a_1, a_2, a_3, a_4, a_5, a_6, a_7)$$

☆八元数の共役、内積、大きさ

$a=a_0+a_1e_1+a_2e_2+a_3e_3+a_4e_4+a_5e_5+a_6e_6+a_7e_7$

$b=b_0+b_1e_1+b_2e_2+b_3e_3+b_4e_4+b_5e_5+b_6e_6+b_7e_7$に対して、

共役：$\overline{a}=a_0-a_1e_1-a_2e_2-a_3e_3-a_4e_4-a_5e_5-a_6e_6-a_7e_7$

内積：$(a, b)=a_0b_0+a_1b_1+a_2b_2+a_3b_3+a_4b_4+a_5b_5+a_6b_6+a_7b_7$

大きさ：$|a|=\sqrt{a\overline{a}}=\sqrt{a_0^2+a_1^2+a_2^2+a_3^2+a_4^2+a_5^2+a_6^2+a_7^2}$

☆八元数の性質

積の逆元；$a^{-1}=\dfrac{\overline{a}}{|a|^2}$　$(a\neq 0)$

大きさを保つ：$|ab|=|a|\cdot|b|$

☆数と球面の関係

０次元、１次元、３次元、７次元の球面は、それぞれ実数、複素数、四元数、八元数を用いて、大きさが１である数の全体として表すことができる。

☆ケーリー＝ディクソン構成法における積

$$(\alpha,\ \beta)(\gamma,\ \delta)=(\alpha\gamma-\overline{\delta}\beta,\ \beta\overline{\gamma}+\delta\alpha)$$

☆八元数の３つの数の関係式$xy=z$から、この関係式の六つ組を図にすることで、対称性を見てとることができる。

☆数の拡張

実数体の有限次元の拡張で、結合法則を必ずしも仮定せずに体をなすものは、実数体$\boldsymbol{R}$, 複素数体$\boldsymbol{C}$, 四元数体$\boldsymbol{H}$, 八元数体$\boldsymbol{O}$の４つに限る。

第7章

大海へ

～八元数を超えて～

1.「数」の解釈について考える
～数学や物理学への広がり～

さらなる数の広がり

数の拡張を実数から考えるとき、実数、複素数、四元数、八元数と広がることを見てきました。

実は、この拡張と並行して、別の拡張を考えることもできます。実数から複素数へ拡張するとき、$i^2=-1$となるiを導入しましたが、これとは別に、$i'^2=1$となる記号i'を考えます。この記号i'を用いて、

$$2+3i', \qquad 5-i', \qquad 7i'$$

などのような

$$a+bi' \qquad (a, b\text{は実数})$$

という数を考え、これを**split複素数**といいます。和と積は$i'^2=1$となること以外は、通常のように定めます。split複素数の全体からなる集合を$\boldsymbol{C}'$と表します。

たとえば、

$$(1+i')(1-i')=1-i'^2=1-1=0$$

のようにsplit複素数は0でない数どうしを掛けても0になることがあります。このとき、$1+i'$ の逆元は存在しません。

それゆえに、split複素数の全体からなる集合 $\boldsymbol{C}'$ は体にはなりません。$\boldsymbol{C}'$ は可換な代数になります。

これで、実数からsplit複素数へ拡張できたことになります。

$$\boldsymbol{R} \subset \boldsymbol{C}'$$

split複素数は除法で閉じていませんので、「数」とみなしていいのかどうかという議論もあるかもしれませんが、そのような解釈はいったんおいておいて、ここでは（必ずしも結合法則を仮定しない）環としての構造に注目して、拡張を考えていくことにします。

いま、split複素数からさらに拡張することができます。

記号、i', j, k' を導入して、その間の積を

$$i'^2 = k'^2 = 1, \qquad j^2 = -1$$
$$i'j = -ji' = k', \qquad jk' = -k'j = i',$$
$$k'i' = -i'k' = -j$$

のように定義し、

$$a + bi' + cj + dk' \qquad (a, b, c, d \text{は実数})$$

と表される数を**split四元数**といいます。和は通常のように定め、積は分配法則が成り立つように定めます。split四元数の全体からなる集合を $\boldsymbol{H}'$ と表します。

$\boldsymbol{C}'$ と同様に、$\boldsymbol{H}'$ は体にはなりません。$\boldsymbol{H}'$ は非可換な代数となります。

split四元数 $\alpha = a + bi' + cj + dk'$ に対して、

$$N(\alpha)=\alpha\,\overline{\alpha}=a^2-b^2+c^2-d^2$$

を**ノルム**といいます。ノルムは、四元数の場合の大きさの2乗に対応しています。大きさをイメージするといいでしょう。

ノルムの式にマイナスが含まれていることから、0でないsplit四元数に対してもノルムが0や負になることがあります。大きさを抽象化したノルムがマイナスになるのは不思議です。

これでsplit複素数からsplit四元数へと拡張できました。

$$\boldsymbol{R}\subset\boldsymbol{C}'\subset\boldsymbol{H}'$$

さらに、split八元数を考えることができます。iを虚数単位として、

$$e_4'=ie_4,\qquad e_5'=ie_5,\qquad e_6'=ie_6,\qquad e_7'=ie_7$$

という記号を導入し、

$$e_1,\ e_2,\ e_3,\ e_4',\ e_5',\ e_6',\ e_7'$$

を考えます。積は八元数の$e_1, e_2, e_3, e_4, e_5, e_6, e_7$と虚数単位$i$の規則性で定めます。また、$i$はどの$e_m$とも可換とします。

たとえば、

$$e_3e_6'=e_3ie_6=ie_5=e_5'$$
$$e_4'e_5'=ie_4ie_5=i^2e_4e_5=-e_1$$

のように定めます。このとき、$e_1, e_2, e_3, e_4', e_5', e_6', e_7'$を用いて

$$a_0 + a_1e_1 + a_2e_2 + a_3e_3 + a_4e_4' + a_5e_5' + a_6e_6' + a_7e_7'$$
（a_iは実数）

と表される数を**split八元数**といいます。和は通常のように定め、積は分配法則が成り立つように定めます。split八元数の全体からなる集合を$\boldsymbol{O}'$と表します。

$\boldsymbol{O}'$は体になりません。$\boldsymbol{O}'$は非結合な代数となります。

これにより実数からsplit八元数まで拡張することができました。

$$\boldsymbol{R} \subset \boldsymbol{C}' \subset \boldsymbol{H}' \subset \boldsymbol{O}'$$

このように、複素数、四元数、八元数の系列とは別に、split複素数、split四元数、split八元数の系列を考えることができます。ただし、これらは体にならず、それぞれ、可換、非可換、非結合な代数になります。

また、複素数体$\boldsymbol{C}$、四元数体$\boldsymbol{H}$、八元数体$\boldsymbol{O}$の複素化を考え、それぞれ$\boldsymbol{C}^C, \boldsymbol{H}^C, \boldsymbol{O}^C$とすると、複素化の系列を考えることもできます。

$$\boldsymbol{C}^C \subset \boldsymbol{H}^C \subset \boldsymbol{O}^C$$

これらのように、通常の複素数、四元数、八元数の系列とは別に、split複素数、split四元数、split八元数の系列と複素化の系列を考えることができます。

そして、通常の系列はコンパクトなLie群の構成に、splitの系列は非コンパクトなLie群の構成に、複素化の系列は複素Lie群の構成に役立つことが知られています。

Lie群のイメージは第３章でも述べましたが、大まかにいうと、「図形に群の構造が入っており、その演算をとる操作と逆元をとる操作が滑らか（微分可能）であるような数学的な対象」のことをいいます。19世紀の中頃、ノルウェーの数学者ソフス・リーによってLie群の概念が導入されました。

たとえば、第３章で考えた大きさが１であるような複素数の全体S^1はLie群となります。S^1をLie群として捉えるときは、記号$U(1)$で表し、ユニタリ群といいます。

$$U(1)=\{z\in \boldsymbol{C} \mid |z|=1\}$$

実際、$U(1)$は円周ですから図形です。さらに、積で群となります。さらに、積zwをとる操作と逆元$\frac{1}{z}$をとる操作は微分可能となります。

他にも、大きさが１であるような四元数の全体S^3もLie群になります。S^3をLie群として捉えるときは、記号$Sp(1)$で表します。

$$Sp(1)=\{\alpha\in \boldsymbol{H} \mid |\alpha|=1\}$$

大きさが１であるような八元数の全体S^7は、積の結合法則が成り立ちませんので群になりません。ですから、Lie群ではありませんが、図形であり、演算が定義されている特徴的な球面ではあります。

一般に球面はすべての次元で定義できますが、このように１次元、３次元、７次元の球面には演算が定義され、特に１次元、３次元の球面はLie群となっています。

変換の群を考える

四元数体において、和、積、スカラー倍（実数倍）を保つ全単射な変換は、３次元空間の回転を表しました。

また、四元数体における和、積、スカラー倍（実数倍）を保つ全単射な変換の全体Aut($\boldsymbol{H}$)は、空間の回転を表す変換の全体をSO(3)と同一視できることを第５章で述べました。

$$\mathrm{Aut}(\boldsymbol{H}) = \mathrm{SO}(3)$$

イコールは同一視できるという意味で、正確には同型といいます。

SO(3)はLie群の構造を持ちます。このことは、四元数体$\boldsymbol{H}$の変換の集まりを考えることで、Lie群が構成できるということを意味しています。

単純Lie群は、規則性がはっきりしている**古典型のLie群**と個々について調べなければいけない**例外型のLie群**の２種類あることが分かっています。

さらに、古典型のLie群は、A_n, B_n, C_n, D_nの４種類、例外型のLie群は、

$$G_2,\ F_4,\ E_6,\ E_7,\ E_8$$

の５種類に分類されています。例外型Lie群は、この順に次元が大きくなり、それぞれ14次元、52次元、78次元、133次元、248次元となります。

19世紀から20世紀にかけてのフランスの数学者カルタンは、八元数の自己同型群を用いることで、例外型Lie群G_2を構成できることに気づき、1914年の論文でそのことに言及し

ました。

当時はまだ自己同型群という用語がなかったのですが、今の言葉で述べると、「八元数体の自己同型群がG_2になる」ことにカルタンは気づいたのです。このことから、八元数がLie群の分野に役立つことが分かってきました。

八元数体の変換で和、積、スカラー倍（実数倍）を保つ全単射な変換の全体を$\mathrm{Aut}(\boldsymbol{O})$と表すと、$\mathrm{Aut}(\boldsymbol{O})$は$G_2$型の例外型Lie群となる：

$$\mathrm{Aut}(\boldsymbol{O}) = G_2$$

八元数を超えて

実数から八元数までの数の拡張には、通常の拡張に加えて、split系列の拡張や複素化の拡張があることを見てきました。

それでは、八元数を超える数は存在するのでしょうか？

この問いかけは、何をもって「数」と解釈するかによって、または、数学者の立場や専門によって意見が分かれるかもしれません。

そのようなことを踏まえつつ、ここでは、Lie群の立場から、八元数を超える数について見ていきましょう。

３次の正方行列を用いて、新たな代数系を構成します。

$$X=\begin{pmatrix}\alpha_1 & x_3 & \overline{x_2}\\ \overline{x_3} & \alpha_2 & x_1\\ x_2 & \overline{x_1} & \alpha_3\end{pmatrix}$$

$\alpha_1, \alpha_2, \alpha_3$は実数、$x_1, x_2, x_3$は八元数

このようなXの全体に、和は成分どうしの和、積を

$$X\circ Y=\frac{1}{2}(XY+YX)$$

で定めたものを**例外ジョルダン代数**といいます。与えられた行列は、実数が3つ、八元数が3つの自由度がありますので、

$$3+8\times3=27$$

となり、次元は27次元になります。例外ジョルダン代数において、和、積、スカラー倍（実数倍）を保つ全単射な変換の全体は例外型Lie群のF_4になります。

この例外ジョルダン代数を「数」と解釈すると、27次元の数が構成できたことになります。

Lie群は図形的な側面もあり、数とはみなされませんが、それぞれのLie群にはLie環と呼ばれる数学的な対象が対応することが知られています。Lie環には和、スカラー倍、非結合な積（カッコ積）が定められており、これは解釈の問題ですが、「数」と解釈することもできます。

このように考えていくと、一番大きなE_8型の例外型Lie群に対応する例外型Lie環e_8は248次元の代数になります。

ここまでくるともう想像できませんが、E_8型の例外型Lie群は、物理学の究極の理論の候補である超弦理論にも応用されていますので、もしかすると、数の拡張の最終形と解釈できる可能性があります。

例外型Lie群の構成

古典型のLie群に比べて、例外型のLie群の構成は難しいのですが、フロイデンタールは、フランスの数学者ティッツとの共同研究で例外型のLie環を包括的に記述できるフロイデンタール・マジック・スクウェア（Freudenthal magic square）または、フロイデンタール＝ティッツ・マジック・スクウェア（Freudenthal-Tits magic square）と呼ばれている構成を開発しました。

一方、例外型のLie群の中でも、特に、次元の大きいE_6, E_7, E_8は、抽象的に分類されてから約100年もの間、その具体的な構成は謎のままでした。

そのような状況の中、数学者の横田一郎はコンパクト型のLie群E_6の実現に成功しました。それがきっかけとなり、まもなく横田一郎のグループによって、八元数やsplit八元数、その複素化などを用いて、E型のすべての例外型Lie群が構成されました。

横田一郎は、フロイデンタールの研究に触発されて、例外型Lie群の研究に情熱を注いだといいます。

物理学への応用

物理の量子力学などで用いられる**パウリ行列**と呼ばれている行列があり、角運動量との関連が深いことが知られています。

具体的には、次のような２次の正方行列です。σはギリシャ文字で、シグマと読みます。

$$\sigma_1=\begin{pmatrix}0 & 1\\1 & 0\end{pmatrix},\qquad \sigma_2=\begin{pmatrix}0 & -i\\i & 0\end{pmatrix},\qquad \sigma_3=\begin{pmatrix}1 & 0\\0 & -1\end{pmatrix}$$

パウリ行列には、次の関係があります。

$$\sigma_1\sigma_2=-\sigma_2\sigma_1=i\sigma_3,\qquad \sigma_2\sigma_3=-\sigma_3\sigma_2=i\sigma_1,$$
$$\sigma_3\sigma_1=-\sigma_1\sigma_3=i\sigma_2$$

これらは、四元数のi, j, kの関係式と似ていることに気づきます。

ここで、パウリ行列に$-i$を掛けた、

$$-i\sigma_1,\ -i\sigma_2,\ -i\sigma_3,$$

は、四元数のi, j, kと同じ関係式を満たすことが分かります。このことから、四元数は量子力学の分野でうまく適合します。

アインシュタインの相対性理論では、wを時間座標、x, y, zを空間座標とした４次元の直交座標$(w,\ x,\ y,\ z)$を考えます。

このとき、点P(w, x, y, z)と原点との距離sを、

$$s^2 = w^2 - x^2 - y^2 - z^2$$

で定義して、この距離に関する時空を**ミンコフスキー時空**といいます。この式から、距離の２乗が負になることがあると分かります。

そして、ミンコフスキー時空における座標変換

$$(w, x, y, z) \quad \rightarrow \quad (w', x', y', z')$$

で、距離を不変にする変換、すなわち、

$$w^2 - x^2 - y^2 - z^2 = w'^2 - x'^2 - y'^2 - z'^2$$

が成り立つ変換を**ローレンツ変換**といいます。

ミンコフスキー時空に関する距離は、そのままの形では四元数で表現することはできません。四元数の大きさの２乗は、必ず０以上になり、負になることはないからです。

しかし、split四元数や四元数の複素化は大きさの２乗が負になることもあるので、これらを用いることでミンコフスキー時空を表すことができます。

四元数の複素化を考える場合、四元数のiと複素化のiを区別する必要があるので、複素化のiをι（ギリシャ文字のイオタ）で書くことにします。

すなわち、四元数の複素化のιを、$\iota^2 = -1$として、

$$1, i, j, k, \iota, \iota i, \iota j, \iota k$$

をそれぞれ実数倍して和をとったものが、四元数の複素化となります。

ここで、ιi, ιj, ιkの２乗は、

$$(\iota i)^2 = \iota^2 i^2 = (-1)\cdot(-1) = 1$$

のように１となります。

このことに注目して、四元数の複素化$\boldsymbol{H}^C$において、

$$1,\ \iota i,\ \iota j,\ \iota k$$

で生成される部分空間を考えます。すなわち、

$$\alpha = a + b\iota i + c\iota j + d\iota k \qquad (a, b, c, d\text{は実数})$$

となる数の全体を考えます。

このとき、αの大きさの２乗は、

$$\begin{aligned}|\alpha|^2 = \alpha\overline{\alpha} &= (a + b\iota i + c\iota j + d\iota k)(a - b\iota i - c\iota j - d\iota k)\\ &= a^2 - (b\iota i)^2 - (c\iota j)^2 - (d\iota k)^2\\ &= a^2 - b^2 - c^2 - d^2\end{aligned}$$

となり、ミンコフスキー時空の距離と一致することが分かります。このことから、四元数で表されるこのような空間において、距離を保つ変換がローレンツ変換となることが分かります。

相対性理論において、距離が０となる領域、すなわち、

$$w^2 - x^2 - y^2 - z^2 = 0$$

である領域は、光の粒子が移動する領域だと考えます。これを四元数の立場で考えると、通常の四元数体$\boldsymbol{H}$は大きさが０になるのは０のみです。すると、光が存在できるのは原点のみ、すなわち、光のない世界ができ上がります。

しかし、split四元数からなる代数$\boldsymbol{H}'$や複素化$\boldsymbol{H}^C$は、0以外の領域でも、大きさが0や負になることがあります。すなわち、四元数だけではなく、split四元数や複素化を考えることで、私たちの光ある世界を記述できるのです。

これがsplit四元数や四元数の複素化を考えることの物理学からの必然性となります。

いま、四元数の複素化を考えることで、ミンコフスキー時空のローレンツ変換を記述できることを説明しましたが、八元数の複素化を用いることで、ガンマ行列を記述できることが知られています。ガンマ行列とは、物理学者のディラックが相対論的な波動方程式としてディラック方程式を導く際に導入したものです。すなわち、八元数の複素化は、ディラック方程式に応用できるのです。このように四元数や八元数は、量子力学や相対性理論と結びついていることが分かっていますが、これだけではありません。

現代の物理学は、**ゲージ理論**といって空間にLie群が作用するという考え方で理論が構築されています。物理学の用語では、このときのLie群のことを**ゲージ群**と呼びます。たとえば、電磁気学はLie群$U(1)$が作用するゲージ理論となります。

現在、物理学の世界では、超弦理論やM理論が究極の理論といわれていますが、超弦理論には5つのモデルがあり、その中の1つは例外型Lie群E_8の直積がゲージ群として用いられています。例外型Lie群を具体的に構成するには八元数が本質的な役割を果たしますから、これは八元数の重要な応用といえます。

近年、四元数はコンピュータ・グラフィックスや飛行体の制御などの応用があり、少しずつ普及し始めてきたように思います。しかしながら、四元数に比べると、八元数は応用が少ないため、普及が遅れている感があります。

ただ、いま見てきたように、物理学の究極の理論といわれている超弦理論やM理論と結びついていることは、八元数の大いなる可能性を感じます。

歴史的に見ても、虚数の普及には200〜300年の年月がかかり、負の数においては2000年あまりかかっています。

そう思うと、八元数が広く認知されるまで、まだ相当長い年月がかかるかもしれません。

いつの日か、八元数が広く受け入れられる日がくることを願ってやみません。

参考図書

■数の話

[1] 室井和男、中村滋（コーディネーター）
『シュメール人の数学 粘土板に刻まれた古の数学を読む』 共立出版、2017

[2] 蟹江幸博『数って不思議!!…∞ ——1 + 1 = 2? で始まる数学の世界——』（孫と一緒にサイエンス） 近代科学社、2018

■複素数

[3] 示野信一『複素数とはなにか』（ブルーバックス）
講談社、2012

■四元数

[4] 矢野忠『四元数の発見』 海鳴社、2014

[5] 堀源一郎『ハミルトンと四元数——人・数の体系・応用』 海鳴社、2007

■八元数

[6] J.H.コンウェイ、D.A.スミス、山田修司（訳）
『四元数と八元数——幾何，算術，そして対称性』
培風館、2006

[7] J.C. Baez, *The octonions*, Bull. Amer. Math. Soc. 39(2002),

145-205

■八元数の諸公式は、主に［8］の付録に証明が載っています。例外型Lie群と表現環の関係は［9］にあります。

［8］横田一郎『群と位相』裳華房、1971

［9］横田一郎『群と表現』裳華房、1973

■四元数、八元数を用いたLie群の構成

［10］横田一郎『古典型単純リー群』現代数学社、2013

［11］横田一郎『例外型単純リー群』現代数学社、2013

■横田一郎による例外型Lie群の構成の集大成ともいうべきプレプリント。この分野においてはバイブル的なテキストです。

［12］I.Yokota, *Exceptional Lie groups*
arXiv:math/0902.0431,［math.DG］(2009)

■フロイデンタールの論文集。フロイデンタールの主要な論文がすべて収録されています。例外型Lie環の構成やその幾何学に関する論文も含まれています。

［13］T. A. Springer and D. van Dalen eds.,
Hans Freudenthal : *Selecta*
(Heritage of European Mathematics),
European Mathematical Society, 2009.

あとがき

本書では数の起源から始まり、次に自然数から八元数までの「数の拡張」をテーマにして、数学的な観点から説明をしてきました。とくに、四元数や八元数に焦点を当てて、数の広がりの香りを読者のみなさんに感じていただけたらと思い本書を書いてきました。

ここまで読まれた読者の方なら、数の拡張の「数学的な流れ」を理解していただけたのではないかと思います。

私は学生時代、横田一郎先生の著書『古典型単純リー群』『例外型単純リー群』(参考図書［10］［11］)によって、四元数や八元数に触れ、これらを用いて、Lie群が構成されることに興味を覚えました。そのようなこともあり、本書を書いている間、私の心の中には常にこの２冊の参考書が思い浮かんでいました。

学生時代の私は、複素数から四元数、八元数へと拡張されていき、その流れで、「16元数へと拡張されていくのかな」と漠然と考えていたのですが、数の拡張は八元数で終わりだと知って不思議な気持ちになりました（$\boldsymbol{R}$上の有限次元ベクトル空間で、結合法則を必ずしも仮定しない体という条件のもとで、拡張の最終形が八元数という意味です)。

また、八元数を用いて構成される例外型Lie群が、物理学の究極の理論の候補といわれている「超弦理論」「M理論」と結びついていることは、とても興味深い事実だと感じています。

「数学の世界」と「物理学の世界」で、それぞれ別々に発展してきた八元数とM理論がつながったということは、八元数が本質的な数であることを示唆しているように思えてなりません。

ただ残念なことに、世間一般では、複素数までは普及していますが、四元数、八元数はまだそれほど普及しているとはいえない状況です。そんな中、複素数を超えた「四元数」、「八元数」の世界を知っていただき、その魅力に触れていただけたらという思いで、本書を執筆いたしました。

本書の最大のテーマは「数」です。何を「数」と考えるかは、人によって、数学者の立場によって解釈が違うと思います。一般的には、八元数までが数と解釈されているように思いますが、私自身は、八元数をさらに超え、「248次元のe_8型の例外型Lie環が究極の数だったら夢があるなあ」と思います。

執筆の声をかけてくださった編集者の善戝康裕氏に、心よりお礼申し上げます。

横田一郎先生のお弟子さんの宿澤修先生、宮坂隆先生、石原哲雄先生、宮下敏一先生、竹内健太郎先生、私が学生時代に自主ゼミでお世話になった岩瀬則夫先生、指導教官の平野康之先生、向井茂先生に、この場を借りてお礼申し上げます。

本書が四元数や八元数の普及に少しでも貢献できたらと願ってやみません。

恐れ多いことですが、本書を例外型Lie群の研究に英知を注がれたフロイデンタール氏と横田一郎氏に捧げたいと思います。

2020年 冬晴れが心地よい高知にて

松岡学

さくいん

【さ行】

【た行】

【ま行】

【や行】

【ら行】

N.D.C.410　270p　18cm

ブルーバックス　B-2126

数の世界
自然数から実数、複素数、そして四元数へ

2020年2月20日　第1刷発行
2022年12月9日　第2刷発行

著者　松岡　学
発行者　鈴木章一
発行所　株式会社講談社
〒112-8001　東京都文京区音羽2-12-21
電話　出版　03-5395-3524
販売　03-5395-4415
業務　03-5395-3615
印刷所　（本文印刷）株式会社新藤慶昌堂
（カバー表紙印刷）信毎書籍印刷株式会社
製本所　株式会社国宝社

定価はカバーに表示してあります。

ISBN978－4－06－518745－6

発刊のことば

科学をあなたのポケットに

二十世紀最大の特色は、それが科学時代であるということです。科学は日に日に進歩を続け、止まるところを知りません。ひと昔前の夢物語もどんどん現実化しており、今やわれわれの生活のすべてが、科学によってゆり動かされているといっても過言ではないでしょう。

そのような背景を考えれば、学者や学生はもちろん、産業人も、セールスマンも、ジャーナリストも、家庭の主婦も、みんなが科学を知らなければ、時代の流れに逆らうことになるでしょう。

ブルーバックス発刊の意義と必然性はそこにあります。このシリーズは、読む人に科学的に物を考える習慣と、科学的に物を見る目を養っていただくことを最大の目標にしています。そのためには、単に原理や法則の解説に終始するのではなくて、政治や経済など、社会科学や人文科学にも関連させて、広い視野から問題を追究していきます。科学はむずかしいという先入観を改める表現と構成、それも類書にないブルーバックスの特色であると信じます。

一九六三年九月

野間省一